COLECCION FTL
Editor General: C. René Padilla

Poder del evangelio y poder político

La participación de los evangélicos en la vida política en América Latina

José Míguez Bonino

Buenos Aires - Año 1999

José Mármol 1734 - Florida
(1602) Buenos Aires, Argentina

Diseño de la portada: Juliana Laffitte

Queda hecha el depósito que marca la ley 11.723

Impreso en Argentina
Printed in Argentina

ISBN 987-9403-00-2

Publicado y distribuido por Ediciones Kairós para la
Fraternidad Teológica Latinoamericana

Indice

Presentación

El despertar político de los evangélicos en América Latina se ha constituido en uno de los fenómenos religiosos que más llaman la atención de los estudiosos de la sociedad contemporánea. Prácticamente en todos los países del continente un buen número de líderes evangélicos, incluyendo a muchos que hasta hace poco se pronunciaban abiertamente en contra de este tipo de militancia, ha irrumpido con fuerza en el campo político. Evidentemente, ¡ha terminado la tradicional «huelga social» de los evangélcos!

En las circunstancias actuales, sin embargo, se hace absolutamente necesario que estos nuevos protagonistas tomen conciencia del papel que les corresponde desempeñar en el escenario político. Es claro que a nivel humano comparten con otros los derechos y las responsabilidades que dan sentido a su ciudadanía. La cuestión es que, además de ciudadanos, también son cristianos y como tales están llamados a encontrar maneras de pensar y vivir su fe políticamente. ¿Cómo pueden lograrlo?

Para contestar esta pregunta no hay fórmulas. Sí hay, sin embargo, pautas o directrices que facilitan la tarea. Y eso es lo que este pequeño pero enjundioso librito ofrece. Para ello el autor recurre a la historia eclesiástica y a las Escrituras, a la teología y a la ética.

Pocos autores en nuestra América están tan bien calificados como José Míguez Bonino para escribir un ensayo como éste que el lector tiene ahora en sus manos. Aparte de sus largos años como docente en el Instituto Superior Evangélico de Educación Teológica (ISEDET) de Buenos Aires, es uno de los miembros fundadores de la Asamblea Permanente por los Derechos Humanos en la República Argentina. El capítulo 4 («Derecho a la vida, derechos humanos» es un botón de muestra de la calidad de la reflexión con la cual este decano de los teólogos evangélicos latinoamericanos ha podido acompañar su militancia en ese importante organismo. Es también una muestra del tipo de contribución que el autor pudo hacer a la redacción de la nueva Constitución Nacional que surgió de la Asamblea Constituyente de 1994, en la cual él participó como miembro. Este pequeño tratado, por lo tanto, es un fruto maduro de una praxis en la que la reflexión y la práctica se han dado un abrazo, una praxis que señala un camino de militancia política ejemplar para la nueva generación evangélica latinoamericana.

El editor

Prólogo

A lo largo de los últimos diez años, he tenido el privilegio de participar en varias reuniones del mundo evangélico latinoamericano donde se ha planteado y debatido el tema de la participación de evangélicos en la vida política de nuestros países y de conversar con muchos hermanos y hermanas de nuestras iglesias sobre el tema. Además, no pocas personas del ambiente político y cultural, ajenos a nuestras iglesias, nos preguntan por el crecimiento, las tendencias, la nueva e inesperada presencia evangélica en la vida social y política. ¿Por qué se produce este fenómeno? ¿Quiénes son esos evangélicos? ¿Qué desean? ¿Qué tendencias políticas o ideológicas tienen?

Me ha parecido que, para ellos y para nosotros, era importante tener en cuenta que no se trata de un hecho nuevo o sin antecedentes, ni en la historia mundial ni en la nuestra latinoamericana. La Iglesia cristiana confrontó desde sus comienzos la necesidad de ubicarse en un mundo político, cultural y religioso al que tenía que dirigirse con su mensaje, dar cuenta de su presencia y responder a las demandas, los cuestionamientos y los ataques que recibía. Para hacerlo tenía la historia de su fe, desde el Antiguo Testamento hasta el mensaje, y sobre todo la vida, muerte y resurrección del Señor, y su propia fe y experiencia de una vida nueva en Jesucristo. A lo largo de la historia, esa iglesia —con su multiplicidad y sus diferencias— ha tenido que continuar esa tarea. La Reforma del siglo 16, en un momento histórico de cambio e incertidumbre, asumió en el mundo de entonces su responsabilidad y respondió, práctica y doctrinalmente, a las nuevas situaciones. Y durante el siglo y medio de su presencia en América Latina, las iglesias evangélicas también lo han hecho. También hoy ha habido cambios significativos en nuestra sociedad latinoamericana. El mundo evangélico ha crecido en número, en capacidad de reflexión, en participación en la sociedad. Y por lo tanto es lógico que se le dirijan preguntas, y que los evangélicos mismos quieran reflexionar sobre su identidad, su misión, su responsabilidad misionera y social. En ese proceso, el tema político es inevadible.

En la consulta sobre esa temática realizada en el Centro Kairós de Buenos Aires, en mayo del año pasado, estos temas fueron tratados en profundidad, con una muy representativa presencia de laicos y pastores evangélicos. Tuve el privilegio de participar y presentar algunas reflexiones para la discusión. De ellas y de su discusión entonces y de varias visitas sobre esa temática a México, Perú, Colombia, Uruguay y mi propio país nacen estas páginas. Mi intento no es «sentar doctrina» sobre el tema sino más bien buscar, en el rico tesoro de las Escrituras y en la experiencia de la Iglesia, pautas y orientaciones que nos ayuden a encontrar nuestro camino como evangélicos en las difíciles, desafiantes, pero a la vez promisorias situaciones de nuestros pueblos. Sabiendo, sin embargo, que en último término, es la dirección del Espíritu la que nos permitirá discernir, en la memoria de nuestra fe y en la experiencia actual, cuál es la voluntad del Señor para su pueblo.

El autor

1

La participación política de los evangélicos en América Latina

El lenguaje de los hechos ha desbordado al de las palabras: en muchos países de América Latina los evangélicos participan activamente en política. En Perú jugaron un papel importante en el debate electoral y, en las elecciones que resultaron en la primera presidencia del Sr. Fujimori, ganaron más de una docena de bancas en el parlamento y una de las vicepresidencias. En Brasil ocuparon numerosas bancas en la Convención Constituyente. En Venezuela hubo evangélicos elegidos para el parlamento. En Guatemala hubo un presidente militar evangélico y luego otro electo —que por otra parte ha defendido doctrinalmente su participación. A nivel de municipalidades, hay un número significativo de intendentes y concejales en ciudades menores en varios países. En Argentina se formó el Movimiento Cristiano Independiente con la participación política de evangélicos de diversas iglesias. Seguramente el lector añadirá otros muchos datos en un panorama en permanente cambio.

¿Es algo realmente nuevo?

¿Se trata de algo nuevo? La respuesta es «no» y «sí». Y es útil que, antes de tratar de ver qué es lo nuevo, demos una mirada a nuestro pasado evangélico, preguntándonos si los evangélicos hemos participado en la política en América Latina. Aquí ofrezco algunas observaciones para reflexionar al respecto.

1. La mayor parte de las iglesias evangélicas que comenzaron su labor misionera en nuestras tierras desde mediados

del siglo pasado, provienen del mundo anglosajón, de las llamadas «iglesias libres», es decir, no vinculadas con el Estado. En los Estados Unidos, prácticamente ésa era la situación normal; en Gran Bretaña, son las iglesias «disidentes» —bautistas, metodistas, congregacionalistas— las que envían sus misioneros. El hecho que nuestras iglesias evangélicas vengan «del extranjero» no tiene por qué avergonzarnos: ¡de España o de Portugal, de Italia o de Inglaterra, el mensaje de Jesucristo llegó «del extranjero» a todo el mundo, excepto a la Palestina del primer siglo! Y llegó a todas partes con las características, las costumbres y los lenguajes del lugar del que provenían «los mensajeros». Así, en lo político, nuestras iglesias traen una tradición anticlerical —de iglesias que «protestaron» una religión única y dominante protegida por el Estado— puritana —que trataba de mantenerse limpia de la corrupción de «este mundo»— y liberal —de formas de gobierno democrático y economía capitalista.

2. ¿Cómo se comportaron esas iglesias en nuestros países? Sin duda, su propósito central fue la evangelización: un llamado a la conversión a Jesucristo, a una experiencia de fe personal y conmovedora y a una vida nueva de honestidad, sobriedad y responsabilidad. Todo lo demás quedaba como subordinado a ese proyecto evangelizador al que consagraron todas sus fuerzas y recursos.

3. Tanto por su tradición anticlerical de iglesias «libres» como por la resistencia —a veces violenta— de la Iglesia Católica Romana a su presencia, el protestantismo fue en América Latina decididamente polémico y anticatólico. Hay, por supuesto, excepciones de ambas partes, pero el clima dominante es de antagonismo. Esta posición vincula casi automáticamente a las iglesias protestantes con los sectores «liberales» de la política: a movimientos como la masonería y a los partidos que se acercaban a posiciones anticlericales, en contraposición con los partidos «conservadores» que representaban mayormente la vieja estructura colonial. La lucha por la libertad de conciencia, la escuela «laica», la lai-

cizacion del registro civil y los cementerios fue, sin duda, una necesidad inmediata para el ejercicio de su misión, pero a la vez, en la pequeña medida de su influencia —más bien ligada a los contactos con el mundo liberal anglosajón— representaba un apoyo a un sector político: los comprometidos con «la modernización».[1]

4. Finalmente, las iglesias evangélicas que llegaron más tempranamente a nuestros países sintieron que su misión evangelizadora debía incluir una dimensión social, en el campo de la educación y del servicio. A ese fin fundaron escuelas, tanto mediante el establecimiento de importantes centros educacionales, en un intento de acompañar con una educación moderna y liberal a los sectores progresistas, como con modestas escuelas parroquiales en barrios humildes o sectores campesinos. Por otra parte, en el campo social, y según las necesidades y situaciones, las iglesias evangélicas crearon hospitales y centros de salud, horfanatorios, hogares y aun algunas cooperativas. Tanto en el ámbito educacional como en el de servicio, las instituciones evangélicas se mantuvieron al margen de la lucha política partidaria. Pero, sin duda, su labor coincidía, en su orientación social, con las fuerzas políticas llamadas habitualmente «liberales» o «progresistas».

¿Qué es lo nuevo?

Dos aspectos llaman la atención en este nuevo momento de participación de los evangélicos en la vida política de nuestros países. Uno es el hecho que muchos de los evangélicos

1 La situación varía de país en país. Este tema ha sido tratado ampliamente en varias historias del protestantismo latinoamericano. Por otra parte, hay que tener en cuenta las iglesias llamadas "de inmigración", cuya relación con la vida política de los países a los que ingresan tiene características diferentes y merecería un estudio especial, en el que aquí no podemos entrar. En *Rostros del protestantismo latinoamericano* (Buenos Aires, Nueva Creación, 1995) he tratado de recoger más ampliamente toda esta temática y allí se dan referencias bibliográficas para quienes deseen profundizar el tema.

que ingresan a la vida política no son creyentes de las iglesias o de los grupos que siempre expresaron un interés en ella —las iglesias más tradicionales, a menudo llamadas, críticamente, «liberales»— sino más bien de aquellas para las cuales el mundo político fue siempre considerado sospechoso, inconveniente para el cristiano o incluso lisa y llanamente diabólico. Son los que afirmaron rotundamente que «un cristiano no puede meterse en política» (o sus hijos) quienes han producido esta irrupción de los evangélicos. El otro aspecto llamativo es que esta participación no se mantiene en el ámbito, un tanto neutral, del mundo de la educación y el servicio, sino que irrumpe directamente en la vida política partidaria, ya sea ingresando en partidos políticos, ya tratando de formar «corrientes» propias dentro de esos partidos, ya intentando crear partidos «evangélicos».

¿Por qué ha ocurrido esto? ¿Cómo entenderlo? Cualquier sociólogo aficionado podría darnos al menos dos razones. Una es el extraordinario crecimiento numérico de las iglesias evangélicas, particularmente éstas de las que hablamos: cualquier sector de la población que tome conciencia de su importancia reclama una participación. Y además, cualquier sector de población que represente una proporción significativa es un «potencial político» que ningún partido, dirigente político o candidato puede despreciar. Un historiador de las iglesias evangélicas añadirá otra razón: los evangélicos ya han llegado en nuestros países a la segunda o tercera generación. Ya no se sienten extraños, «sapos de otro pozo», sino parte de la vida del país. Por otra parte, muchas de estas iglesias son totalmente autóctonas en su liderazgo y membresía, y por eso están más directamente vinculadas y juegan sus posibilidades en la sociedad en la que actúan, incluyendo los avatares políticos de las mismas.

Esto ya nos lleva a una causa más profunda: de muchas maneras las comunidades o congregaciones evangélicas, particularmente en barrios o pequeñas poblaciones, prestan un servicio a la gente. Muchas veces, sus dirigentes o pastores son reconocidos como gente honesta y servicial; la congregación presta ayuda solidaria y en muchos casos no solamente a sus miembros sino a todos. *Hay una presencia positiva reconocida: es el testimonio de vida que da credibilidad.* Y aquí tocamos el nudo del tema. *Finalmente, es el evangelio mismo el que impulsa a participar en la política porque, aunque sea imperfecta y a veces «sucia» y «peligrosa», es una forma en que se puede expresar el amor cristiano al prójimo en algunas de sus necesidades humanas más urgentes.* Particularmente, en las graves crisis que las sociedades latinoamericanas estamos sufriendo, este reclamo a la solidaridad y el servicio fraterno se hace imperioso a cualquier persona o grupo que se atreva a llamarse discípulo de Jesucristo.

Por eso creo que debemos alegrarnos de este despertar de los evangélicos a su derecho y su responsabilidad en el ejercicio del poder y el servicio mediante la participación política. Insisto en las dos cosas: derecho y responsabilidad. Nadie puede objetar esa participación: somos ciudadanos de nuestros países y no podemos aceptar que se pretenda descalificarnos o excluirnos, por cualquier razón o pretexto —y menos aún por una discriminación religiosa— de un derecho que nos corresponde. Pero ese derecho envuelve una responsabilidad. Como personas, recibimos de la vida política una serie de servicios: protección, leyes que ordenan la convivencia social, servicios de diverso orden. No podemos simplemente dejar que «otros» se ocupen por nosotros de todo eso. Pero como creyentes tenemos también convicciones acerca de la vida, la justicia, el bien, la verdad, de las que tenemos que dar testimonio. Y el campo político es uno de los que más necesitan ese testimonio. Los evangélicos latinoamericanos le hemos negado por demasiado tiempo nuestro aporte a la sociedad en este aspecto. Gracias a Dios, parece que hemos comenzado a reconocerlo.

Las tentaciones de la política

Sin embargo, nuestros padres no se equivocaban en advertirnos de los peligros que representa para la fe esa participación. Menciono sólo tres que me parece que la experiencia nos muestra como particularmente nocivos.

El primero es la tentación de utilizar el poder político al servicio de la Iglesia. Demasiado bien sabemos lo que ha significado (incluso para nuestra libertad de culto) el uso que ha hecho la Iglesia Católica Romana de su poder político. No nos engañemos a nosotros mismos diciendo que nosotros no sufrimos esa tentación sino que todo lo hacemos para el avance del evangelio. Para eso nos bastarían nuestras iglesias. Si los evangélicos participamos en política debe ser para el bien del pueblo de nuestros países, no para obtener beneficios, privilegios o facilidades especiales para las iglesias. Por otra parte, tales beneficios tendrían «patas cortas» porque despertarían —con justicia— reacciones: «estos son como todos, lo que quieren es sacar provecho». Y desgraciadamente, no faltarían ejemplos.

El segundo peligro es la ilusión de que, como somos creyentes, somos incorruptibles. No es que la política sea «sucia» y nosotros corramos el peligro de que nos contamine. Es que nosotros —creyentes evangélicos— somos también pecadores: perdonados, en camino hacia una más plena santificación, constantemente ayudados y sostenidos por el Espíritu Santo y guiados por las Escrituras, pero todavía sometidos a tentación y llevando dentro de nosotros «el viejo hombre» que no muere del todo. La soberbia de creernos santos es la puerta por la que se cuela el diablo. Y lo que es peor: corremos el riesgo de disfrazar la corrupción —a veces de justificarla ante nuestra propia conciencia— diciendo que hacemos esto o aquello «para bien». *Un evangélico que da a su iglesia el diezmo de «coimas» o dudosos beneficios que consigue por medio de su militancia política o que consigue «favores» especiales para «los suyos», peca dos veces: contra el pueblo a quien estafa y contra el Señor a quien blasfema.* Y no nos faltarían ejemplos concretos.

Sin embargo, en tercer lugar, es también una tentación creer que basta con ser honestos y bien intencionados para ser buenos cristianos en la vida política. Un parlamentario tendrá que votar presupuestos, participar en decisiones sobre relaciones internacionales, legislar cuestiones sociales que afectan la salud, el empleo, la educación, la seguridad. Un funcionario político tiene que administrar reglamentaciones, decidir procedimientos. *Es necesario que sepa lo que hace.* Con escasas excepciones, los evangélicos no nos hemos preparado para eso. Claro, tampoco lo han hecho muchos otros políticos. Precisamente por eso, nuestra responsabilidad es mayor. Y requiere una doble tarea: por una parte, tratar de comprender mejor cómo se relaciona el evangelio —la enseñanza bíblica, el mensaje de Jesús, la enseñanza apostólica, la experiencia de veinte siglos de la Iglesia cristiana— con los temas y cuestiones que tiene que tratar la política. Por otro, la propia ciencia de la política, de las relaciones de poder, de la economía. Si no lo hacemos resultaremos «idiotas útiles» (o tal vez, peor aún, «inútiles») de cualquier tipo de tendencia a la que nos afiliemos y responsables de sus resultados.

Modelos de participación política en el protestantismo

Por supuesto, los evangélicos latinoamericanos no son los primeros que tienen que enfrentar la problemática política. La Reforma protestante emerge en un período de crisis política, económica y social. El Imperio Carolingio comienza a quebrarse frente a las distintas nacionalidades que reclaman su independencia; el sistema feudal ha entrado en crisis y comienza el nuevo mundo económico mercantil y financiero. En la crisis, los sectores campesinos y el artesanado tienen que buscar una nueva ubicación social. Desde el comienzo de la Reforma del siglo 16, los que habrían de llamarse «protestantes» tuvieron que enfrentar la realidad política del Imperio, del poder político del catolicismo y de la relación con los príncipes que se unieron a la Reforma. Lutero y Calvino reflexionaron, escribieron y tomaron actitudes desde situaciones concretas y tratando de ser fieles al evangelio. También lo hicieron, diferenciándose claramente de aquellos, los movimientos anabautistas. A lo largo de la historia podríamos identificar «modelos» de relación del protestantismo con el ámbito de la vida política. Por supuesto, no podemos imitarlos: nuestra situación es, como la de aquellos, nueva. Debemos, creo, considerar esas diferentes respuestas protestantes como antecedentes que nos ayudan a hacer nuestras propias decisiones. Como tales, sugiero algunos de éstos. No se trata tanto de rechazarlos o aprobarlos, o de elegir alguno, sino de aprovechar las experiencias y la reflexión de nuestros hermanos y hermanas para generar nuestras propias opciones.

1. Los dos reinos

En respuesta a un eminente jurista de su tiempo, Lutero escribe en 1523 un pequeño tratado: «Poder temporal —¿hasta qué punto debe ser obedecido?» Tal vez es en ese escrito donde mejor explica su idea de «dos reinos» o «dos regímenes». Es el primer tratado protestante de ética política. Para él, lo que se había producido hasta el presente en el cristianismo occidental —específicamente el europeo— era una fatal confusión: las autoridades eclesiásticas, en nombre de la Iglesia, se habían convertido en gobernantes terrenales, en tanto que los poderes seculares reclamaban tener autoridad en cuestiones espirituales. Para responder a esa situación, el reformador desarrolla una tesis teológica que ha tenido un profundo impacto en la ética política protestante hasta el presente. Establece una distinción entre «Iglesia» y «Estado», entre «ley» y «evangelio», y entre persona «privada» y «pública». Para Lutero, no se trata de separar sino de distinguir. Tres observaciones al respecto: (1) Lutero comprende lo que está ocurriendo en la realidad social y política de su tiempo: la relativa autonomía que reclama y comienza a ejercer el poder político. El tiempo en que la Iglesia podía ejercer una «potestad directa» o aun «indirecta» (utilizando el poder político como simple ejecutor de su voluntad) concluye: los estados seculares no pueden quedar sometidos a una autoridad heterónoma —la vida política tiene su propia dinámica y sus propias leyes; (2) y no está mal que así sea. Lutero tiene un concepto positivo de la autoridad política, del Estado. Es parte de un orden creado por Dios y entra dentro de la esfera de la providencia y soberanía divina —con el propósito de mantener, defender y ordenar la vida de la sociedad. Por eso, el cristiano, en cuanto «persona pública», no debe desentenderse de sus responsabilidades y deberes en este campo —tiene que servir a Dios tanto en la esfera pública como en la comunidad de fe; (3) para hacerlo —dice— es necesario distinguir entre la actividad del cristiano en cuanto persona «privada» —a la que pertenece su fe, comunidad religiosa, y vida espiritual— y la «pública» que ejerce en su profesión y en la «ciudad terrenal».

Para Lutero es claro que el creyente traslada a su actividad pública, actuando con responsabilidad y para el bien de todos, el amor que Dios ha puesto en su corazón —pero dentro de los parámetros y condiciones de la vida de la sociedad. Sin embargo, esta distinción no lo resuelve todo. El problema aparece de dos maneras: por un lado, ¿no hay un gran riesgo de que las personas «privada» y «pública» que todos somos queden como aisladas entre sí y asuman, no solamente modos de proceder diferentes sino contradictorios y mutuamente destructivos —una especie de esquizofrenia ética? Por otro lado, ¿cuáles son esos parámetros políticos, económicos que, como persona pública, debemos asumir? ¿Tiene el evangelio, la fe, la Escritura algo que decir en la definición de las leyes de la sociedad o es un campo totalmente ajeno? Lutero no es claro al respecto y la experiencia posterior ha mostrado —a veces trágicamente, como en los sectores del protestantismo que se dejaron arrastrar por el nazismo— con qué facilidad el cristiano ha caído en esa esquizofrenia en la que la piedad privada quedaba totalmente desconectada de la vida pública —admitiendo en la economía o en la política cualquier tipo de ideología, abuso económico, tiranía o arbitrariedad.

2. La comunidad de fe como modelo social

Contemporáneamente con la reforma luterana y calvinista, hay una tercera línea, representada mayormente por sectores populares y campesinos genéricamente llamados «anabautistas». Algunos de ellos, muy pocos, procuraron imponer por la fuerza, un modelo «neotestamentario». La mayoría, sin embargo —menonitas, huteritas, cuáqueros, etc.— prefirieron crear comunidades modelo, guiadas por las enseñanzas del evangelio. En años recientes, historiadores y teólogos de esa corriente, como John Howard Yoder, han interpretado estas comunidades como un «testimonio» ofrecido a la sociedad. La dimensión política de la misión de Jesús —sostienen— no es accidental ni meramente una serie de enseñanzas generales, sino la creación de una nueva forma de relaciones sociales, y como tales económicas y políticas: los requisitos de esa relación son los de la justicia, entendida en términos del jubileo que Jesús proclama. Y esto no como una mera utopía sino como algo a poner en práctica aquí y ahora, algo totalmente relevante a nuestro tiempo y condiciones. El camino que esto señala es sin duda el de un testimonio que conduce a la cruz —una «subordinación revolucionaria» que se rehusa a aceptar el «orden» de este mundo (la «política de poder»), que confronta la dominación con el servicio y la hostilidad con el perdón. El sujeto de esa conducta no es el individuo cristiano aislado sino la comunidad de testimonio que pone en práctica en sí misma y proyecta al mundo la naturaleza de ese nuevo orden. Nos equivocaríamos si descartáramos de entrada esta visión como mera «utopía». En realidad, habría que reconocer que movimientos de este orden han tenido un rol importante en la inspiración de desarrollos democráticos, particularmente en el mundo anglosajón.

El pacifismo activo que han practicado y sostenido en nuestro tiempo movimientos como el del Mahatma Gandhi o Martin Luther King y, en nuestra América Latina, personas como el obispo Dom Helder Cámara se inspira en esa tradición, aunque sus líderes no pertenezcan a esa comunidad. Entre nosotros, el profesor Samuel Escobar ha insistido en que esa tradición «anabautista» es parte de la herencia del protestantismo evangélico latinoamericano.

3. Los principios cristianos

¿Cómo reconocer la relativa autonomía del ámbito político y no aceptar la visión maquiavélica de que el poder es la única realidad? Y que, por lo tanto, los valores universales —la ley ética— nada tienen que ver con la realidad política. Calvino ya había buscado en la ley bíblica modelos que sirvieran para orientar la vida económica y política. A veces eso resultó, en territorios bajo control de gobiernos reformados, en una aplicación literal de leyes bíblicas. Pero la convicción de que el evangelio puede traducirse en orientaciones para la vida política y económica —sin negar la especificidad de esos ámbitos— ha encontrado diversas expresiones en el pensamiento protestante. Tal vez el movimiento de «Vida y Obra» (una de las formas del movimiento ecuménico desde fines del siglo pasado) ha sido el que más ha tratado de profundizar esta línea. En una conferencia celebrada en Oxford en 1938 se comienza a buscar «axiomas medios», o lo que algunos llamaron «utopías realistas», en busca de «concretizar» las orientaciones que hallamos en la fe cristiana:

(i) Hay algunos *principios éticos básicos* sobre los que hay una cierta «conciencia ética común», una especie de consenso ético universal (no totalmente diferente de la idea de «ley moral natural») Se dan algunos ejemplos: que los bienes y beneficios deben ser distribuidos justamente; que debe haber igualdad de oportunidad para todos; que es indispensable una medida de libertad para el desarrollo de la persona humana; que la veracidad y honestidad son indispensables para una vida social sana. Los cristianos no sólo comparten con otros estos principios sino que tienen una motivación especial para defenderlos y practicarlos: el amor cristiano. Y un fundamento firme para establecer su validez: la voluntad de Dios.

(ii) Estos principios generales pueden especificarse en *criterios de acción política*: (a) el bienestar de todos, incluyendo las condiciones materiales, culturales y políticas para el desarrollo humano y una medida de seguridad; (b) la libertad, que se comprueba en la libertad de las minoría para disentir, en espacio para la existencia de asociaciones voluntarias y la libertad de expresión; (c) el orden, la paz y la cooperación entre diferentes grupos y sectores de la sociedad, que eviten el estallido de conflictos destructivos de clases e intereses; (d) la justicia, en el sentido del suum cuique entendido como igualdad de oportunidad.

(iii) La aplicación de estos criterios en una situación especifica requiere el reconocimiento de la interrelación entre los cuatro criterios mencionados, un análisis de las condiciones concretas y el uso de los medios correctos disponibles. Este estudio puede llevar a proponer criterios aún más específicos en una situación particular. Por ejemplo, en los años 1955-60 (guerra fría) se proponía: prevención de la guerra nuclear, integración racial, evitar un excesivo desempleo, cooperación entre el Estado, los intereses económicos y el trabajo, y la autodeterminación de los pueblos que han estado bajo control colonial. *Lo que se espera no es que los cristianos establezcan una plataforma política propia u organicen un partido político cristiano sino que, por estos criterios, puedan buscar su propia ubicación en la vida política y contribuir a la misma.* No es difícil ver en estos criterios una orientación social-demócrata o un socialismo democrático, pero eso no necesariamente descalifica el método empleado.

4. Una política revolucionaria

Los movimientos anticoloniales de liberación en Asia y África y la búsqueda de desarrollo social y emancipación antiimperialista en América Latina promovieron en las décadas de 1960 y 1970 una visión revolucionaria que reclamaba la transformación de las estructuras de dominación interna y externa para un desarrollo humano basado en la justicia. En realidad, la visión de la sociedad no difiere tanto de la anterior; más bien, se trata de la convicción de que los cambios necesarios requieren un cambio en la estructura de poder, una transferencia del poder de los sectores y naciones oprimidas que exige una lucha —que algunos buscan mediante la presión ejercida por medios no-violentos, en tanto que otros reconocen la posibilidad de tener que utilizar una medida de violencia como último recurso. Si bien las condiciones de nuestro mundo actual hacen que parezca inviable la consecución de estos cambios por el uso de la fuerza —aparte de las objeciones morales que habría que hacerle— no hay duda que los métodos de resistencia llamada «pasiva» han desempeñado un papel importante en la toma de conciencia de nuestras sociedades e impelido cambios necesarios.

He tomado tiempo en la descripción de estos «modelos» no para proponer una discusión sobre los mismos sino por dos razones principales: (1) para señalar que cuando los evangélicos se interesan hoy por la política en América Latina, no están proponiendo algo nuevo o desconocido, sino asumiendo una responsabilidad que las iglesias evangélicas y las personas dentro de ellas han considerado, asumido y llevado a cabo de diversas maneras por siglos; y por lo tanto, que tenemos un tesoro de experiencias positivas y negativas que debemos tener en cuenta, tanto para no repetir errores como para descubrir varias formas de actuar hoy y en esta situación; (2) para subrayar que no basta tener buena voluntad, sinceridad en nuestro propósito y firmeza en nuestra fe; hay un ámbito específico que tiene requisitos y condiciones y que necesita ser considerado, tanto desde una perspectiva teológica amplia y profunda como desde un conocimiento lo más preciso y serio posible de la naturaleza de los elementos principales que juegan en toda política: el poder, la justicia y la ley.

2

El poder y el evangelio

Es evidente que el ámbito político tiene el tema del poder como una de las referencias fundamentales. No la única: las cuestiones de las estructuras de organización política y de la ley y la justicia son igualmente importantes. Pero, sin duda, las cuestiones de las fuentes de poder, los mecanismos del ejercicio del mismo, los riesgos y la corrupción del poder son temas inescapables en cualquier consideración de la política. «Robar no es un delito: es un acto de poder» —fue el cínico comentario de un político en una conversación sobre la corrupción. Cuando los hombres del Renacimiento hallaron que los arreglos de «la ley natural» del tiempo medieval eran insuficientes e inadecuados para las nuevas condiciones económicas, sociales y políticas, comienza a buscarse una comprensión distinta de la política. El príncipe de Nicolás Maquiavelo ofrece una respuesta:

El que descuida lo que se hace para buscar lo que debería hacerse, pronto conseguirá arruinarse más bien que protegerse a sí mismo... Por consiguiente, es necesario que el príncipe se endurezca y aprenda a ser bueno o no, según las circunstancias de su negocio lo requieran. Porque, si miramos imparcialmente las cosas, veremos que cosas que son en apariencia virtuosas, cuando se las realiza, traen consecuencias desastrosas y otras, por el contrario, que aparentemente son perversas, si el príncipe las lleva a cabo, le producen paz y prosperidad.

Algunas expresiones de Maquiavelo —que es mejor ser temido que ser amado, que el príncipe no tiene por qué mantener la palabra empeñada si no le conviene— han creado la impresión de una política amoral y sin principios. Sin embargo, en su manera provocativa y escandalosa, Maquiavelo estaba señalando dos premisas básicas de todo intento de comprender la realidad política: la autonomía de la política, a la que nos referimos en el capítulo precedente y el hecho del poder, al que queremos referirnos ahora. Maquiavelo —ha dicho Max Lerner— escribió una «'gramática del poder', no sólo para el siglo 16 sino para todos los que siguieron». Un siglo después de la muerte de Maquiavelo, el inglés Hobbes formularía en su Leviathan la comprensión de la sociedad —la lucha de todos contra todos para asegurarse su espacio— que fundamentaba las afirmaciones de Maquiavelo. El poder (potestas) es el elemento constitutivo de la existencia política.

¿Qué es el poder?

Hay una tendencia a pensar en «el poder político» como una especie de «fluido mágico» que alguien tiene o puede conseguir. En realidad, el poder consiste en una serie de relaciones sociales por las cuales un conjunto de personas puede dirigir y controlar una sociedad.
Por eso, una primera tarea sería la de «ubicar» el fenómeno del poder, al menos en cuatro direcciones:
(1) El poder para afectar y controlar los temas de decisión económica. Nos estamos refiriendo aquí a la posesión o administración de los medios de producción, del capital financiero y del know-how (habilidad) tecnológico en el mercado mundial en proceso de globalización. A su vez, hay límites a ese poder: la disponibilidad de recursos naturales, los requerimientos de las fuerzas del trabajo y la «viabilidad» del sistema o los sistemas existentes.
(2) El poder para afectar y controlar los temas de decisión política, es decir, los mecanismos del Estado y —tal vez más importante (como se advirtió en la crisis de los gobiernos militares)— la capacidad de obtener una medida de consenso, una base de sostén en la sociedad, sin la cual el poder político se desintegra: el tema de la gobernabilidad.

(3) El poder para afectar y controlar un aparato ideológico. En contraposición con interpretaciones puramente tecnocráticas o positivistas de la vida política, la sociología del conocimiento nos ha mostrado que una sociedad no existe sin una «construcción de la realidad» —visible u oculta— como marco de referencia 2. El poder político tiene que apelar a esos marcos de referencia más o menos consensuados en la sociedad o tratar de construir uno propio y «filtrarlo» en la sociedad. Si no consigue una medida de apoyo de la sociedad a sus propósitos se verá obligado a depender completamente de la fuerza material. Y ese es un ejercicio muy costoso y a la larga imposible. De allí la lucha por controlar los medios de comunicación, la educación y los recursos «simbólicos» —incluida la religión.

(4) La capacidad de utilizar la fuerza o coerción física para obligar la obediencia y reprimir las desviaciones. Sea que se trate del ejercicio de esa fuerza dentro de una legislación y procedimientos acordados o de manera arbitraria, no hay forma de ejercer poder político sin una cuota de compulsión y al menos la posibilidad de utilizar la fuerza física.

Quien controlara todos esos campos tendría un poder absoluto. Normalmente hay tensiones, balances, controles y acuerdos entre los diversos sectores de la sociedad. Participar en la política es participar en esas relaciones —y eso lo hacemos todos. *Participar como cristianos es hacerlo de manera que la voluntad de amor, de justicia y de paz del Señor alcance la mejor realización posible.*

¿Es compatible ese ejercicio del poder con el evangelio? En otro momento tendríamos que mirar más a fondo este tema.

2 Para profundizar este tema vale la pena leer el libro de Thomas Luckmann, La Religión Invisible, Sígueme, Salamanca, 1973, en el que el autor muestra cómo toda sociedad tiene una concepción de la realidad, de la vida humana, lo que él llama «horizontes de sentido», que funciona como una fe religiosa, lo que él denomina «religión invisible», y cómo en nuestras sociedades aparentemente secularizadas hay una variedad de tales «religiones invisibles».

Sólo sugiero dos ideas para pensarlas. Una: para Jesús el poder tiene sentido sólo como servicio, como veremos más adelante. Otra: la justicia y la paz que el Señor quiere sólo se realizarán perfectamente en el pleno establecimiento de su Reino, así como nuestra propia santificación plena se completará en la resurrección. Pero tenemos la obligación de buscar aquí y ahora la justicia y la paz que más se aproximen a aquella, así como tenemos la obligación de buscar en esta vida la mayor santidad a nivel personal y de iglesia. El poder como servicio es el poder utilizado para conseguir esa justicia y esa paz. A eso somos llamados los evangélicos en nuestra participación política. Como evangélicos esto significa, en primer lugar, ¿qué nos dice la Escritura? No es una pregunta fácil de responder. Por el contrario, las Escrituras han sido utilizadas arbitraria o caprichosamente para todo tipo de políticas, incluso las más destructivas. Necesitamos una «hermenéu-tica», una forma cuidadosa y responsable que nos permita, en fidelidad al texto ubicado en su historia, escuchar la Palabra de Dios respecto de nuestro tema.

El poder en perspectiva bíblica

En este punto, por lo tanto, quisiera proponer un breve estudio bíblico sobre «La autoridad en la sociedad y el Estado: una perspectiva bíblica».

En esta aproximación tenemos que tratar de integrar dos dimensiones: una histórica —cómo funcionaba la autoridad en la sociedad y el Estado en los tiempos bíblicos, particularmente del Antiguo Testamento— y una teológica —cómo interpreta la Biblia la autoridad en el Estado y la sociedad. Es necesario distinguir estas dos dimensiones pero sin separarlas.

1. En nuestra situación actual es importante distinguir entre sociedad civil y Estado. Pero tenemos que darnos cuenta de que la sociedad israelita pasa en los tiempos bíblicos por varias formas de sociedad:

—Una sociedad pastoril trashumante: «un arameo errante a punto de perecer fue tu padre» le recuerda el Deuteronomio a los jóvenes del pueblo (Dt. 26:5).

—Una sociedad tribal «igualitaria», como ha llamado el estudioso Gottwald a lo que hallamos en libros como Jueces o 1 Samuel. Jueces lo expresa muy gráficamente: «En aquellos días no había rey en Israel; cada uno hacía lo que bien le parecía» (Jue. 17:6). Es claro, había otras instancias de «orden»: la familia, la tribu. Y otras formas de «autoridad»: patriarcal, de los «ancianos» jueces carismáticos como Jefté, Sansón, incluso una mujer, Débora. Israel, como conjunto, no es tanto una nación como un «pacto» o «anfictionía». La voluntad o la dirección divina se expresa mediante esos jueces o jueces-profeta como Samuel.

—La transición a un Estado —la monarquía— fue difícil y conflictiva. Los relatos de 1 Sam. 8:5-22; 9:15ss. lo muestran claramente. Se ve esa transición como necesaria pero a la vez peligrosa. El profeta —en nombre de Dios— acepta la institución de la monarquía, pero previene al pueblo: «Así hará el rey que reinará sobre vosotros: tomará vuestros hijos y los pondrá en sus carros [de guerra] y en su caballería... y nombrará para sí jefes de miles y de centenas [tropas], los pondrá [al pueblo] a que aren sus campos... Tomará también a vuestras hijas para que sean perfumadoras... [la corte real]. Asimismo tomará lo mejor de vuestras tierras... y diezmará vuestro grano... [impuestos]... y seréis sus siervos» (1 Samuel 8:11-17). La parábola de Jotán (Jue. 9:7 ss.) refleja con maravillosa ironía esa resistencia a la monarquía —al poder central. Los árboles deciden darse un rey. Llaman al olivo: «reina sobre nosotros». El olivo se niega: «¿voy a dejar de producir aceite, con el cual se honra a Dios y a los hombres, para ir a ser grande entre los árboles?». En el mismo sentido se niegan la higuera y la vid. Sólo la inútil y combustible zarza acepta entusiasmada y ofrece su inexistente sombra —luego arde y quema todo el bosque.

Esa evidente «desconfianza» hacia la monarquía persiste en los profetas. Es seguramente la opinión que informa los pasajes mencionados: hubo un tiempo ideal cuando Dios gobernaba directamente por medio de las relaciones sociales existentes —familia, tribu— y líderes carismáticos que Yavé levantaba en los momentos necesarios. De algún modo se puede decir que la sociedad civil y la sociedad política coincidían. Tal cosa iba a ser imposible en los siglos 11-10 antes de Cristo: Israel está en medio de pueblos con sus firmes monarquías y no puede defenderse con un «Estado débil y disperso».

—Aparece un doble problema: por un lado, chocan dos concepciones distintas del poder. Un ejemplo claro es el episodio de la viña de Nabot (1 Reyes 21:1-26). El campesino se niega a venderle al rey una propiedad familiar. El rey, Acab, todavía inhibido por el derecho tradicional, se frustra y se deprime. Pero su esposa, que proviene de una monarquía absoluta, le reprocha: «¿No eres tú el rey?» Trama un juicio falso, condena a muerte al campesino y se apodera de la viña. Es lo que Samuel había predicho. Y el profeta, Elías, defiende el derecho del pueblo: «Te he encontrado —le dice al rey ahora atemorizado— porque te has vendido a hacer lo malo delante de Jehová» (v. 20). Acab ha quebrado el orden de justicia del pacto de Dios con Israel. Pero hay otra dimensión: los versículos 20:25-26 vinculan la acción injusta de Acab con la idolatría. Con Jezabel aparece una concepción en la que el rey asume las prerrogativas de Dios, hay una «divinización del rey».

Así, la protesta profética es doble: por una parte, contra la soberbia monárquica que afirma el carácter divino del rey. En Israel el único rey absoluto es Yavé; el rey está bajo el juicio de Dios y hacerlo divino «como los demás reyes» lleva a la idolatría. Por otra parte, contra la «injusticia»: la función que prueba a un rey es si defiende el derecho de los débiles y desprotegidos, porque esa es la función del mismo Yavé; cuando la cumple, el rey representa a Dios; cuando no, pierde su legitimidad.

Este mensaje profético, que aparece particularmente en algunos «profetas mayores» (Isaías, Jeremías, partes de Ezequiel) y en varios menores (Oseas, Amos, Miqueas entre otros) y que evidentemente inspira los juicios de los libros históricos sobre los sucesivos reyes (1 y 2 Reyes) encuentra una codificación legal en las leyes deuteronómicas vinculadas a la «reforma» de Josías.

Hay un núcleo teológico que define lo político-social. Su visión de la normativa social está representada por los conceptos, íntimamente relacionados, de *shalom* (paz), *tsedaqah* (justicia), *hesed* (compasión), *emunah* (verdad/fidelidad). Se hace necesario insistir en los vocablos hebreos porque la traducción representa otras concepciones, no sólo diferentes sino a veces opuestas.

Algunos temas centrales definen este racimo de vocablos:

a) Se fundamentan en el «pacto»: donde la propia conducta de Dios marca cuáles son sus demandas.

b) Tienen que ver con «relaciones» más que con principios: la honra, la integridad, la consideración y la piedad que todos se deben mutuamente, según lo que son, en el tejido social.

c) La consideración de los más débiles «comprueba» la rectitud de esas relaciones.

d) Estas condiciones se explicitan en leyes que aseguran, restituyen, sancionan el funcionamiento de esas relaciones.

2. Creo que resulta evidente que es este modelo profético el que nuestro Señor Jesucristo asume en su autodefinición mesiánica, que reúne la visión del «rey justo» y la del «servidor fiel» de Yavé, y que ambas no son contradictorias. Entre los muchos pasajes del Nuevo Testamento señalo dos que resultan particularmente significativos:

—En Marcos 10:35-45 y sus paralelos en Mateo y Lucas, nuestro Señor define la naturaleza de su soberanía en contraposición con la imagen de «reyes» o «gobernantes de los pueblos no judíos». Fácilmente se puede pensar en la figura del emperador romano (el César). No se niega la autoridad: hay «primeros», hay quienes pueden y deben ejercer autoridad. Pero la autoridad se legitima en el servicio. Queda excluida la ideología de «los reyes de los paganos que gobiernan tiránicamente» y de «los que ejercen autoridad» y se autodenominan «benefactores». El principio que se establece es que quien quiera «ser grande, deberá servir a los demás... y el que quiera ser primero, debe ser servidor de todos». Y el modelo se afirma en la propia propia actuación de Jesús: él mismo «no vino para ser servido, sino para servir y dar su vida en rescate por muchos» (v. 45).

—El otro pasaje que señalaremos es el bien conocido de Jn. 10:7-21, el de «el buen pastor». A menudo lo vemos como un modelo de la ternura, del amor sacrificial, del cuidado «pastoral» del Señor por nosotros. Y lo es. Pero es también —y así debe de haber sonado en los oídos de quienes por primera vez lo escucharon— una muy dura crítica al ejercicio de su autoridad por parte de la conducción religioso-política del *establishment* religioso de Jerusalén. La reacción que Juan registra lo confirma: «Demonio tiene, y está fuera de sí», dicen muchos de «los judíos» (designación que en el Evangelio de Juan se refiere a la conducción religiosa del templo en Jerusalén; vss. 19-21).

Leído a la luz de Ezequiel 34 el cuadro se torna más claro. Se trata de la condenación de una forma de «conducir» al pueblo que se aprovecha de él para el propio beneficio de los conductores: «se apacientan a si mismos», se alimentan del mejor producto de las ovejas, se hacen con su lana ropas lujosas, sacrifican las ovejas en su propio beneficio, en lugar de fortalecer a los débiles y cuidar a las heridas (Ez. 34:2-4). En contraposición, el Señor propone otra «conducción»: la del que conoce íntimamente a su pueblo («las llama por su nombre»), busca su seguridad y prosperidad («para que tengan vida y la tengan en abundancia»), y, cuando se hace necesario, «pone su vida por las ovejas». Nuevamente, no es sólo una manera de gobernar que Jesús enseña: es la que él mismo ejerce. Y es la que complace a Dios: «Por eso me ama el Padre» (v. 17).

3. Esta visión de la autoridad y del ejercicio del poder es la que corresponde a la naturaleza del Reino que Dios se propone instalar y define la concepción de la autoridad que «el

movimiento de Jesús» debe asumir —retomando la visión profética de *shalom, tsedaqah, hesed y emunah.* El «nuevo Israel» es la comunidad mesiánica donde la autoridad funciona sobre la base del servicio, lo que no excluye relaciones de subordinación, vigencia de normas y juicio, pero los coloca en otro contexto.

La comunidad cristiana primitiva que el Nuevo Testamento nos muestra el problema de discernir cómo funciona esta visión en el «interín» (hasta que se establezca plenamente el Reino). Este es un tema muy complejo en el que yo aventuro *una interpretación para nuestra reflexión:*

—*Para la Iglesia queda claro que, desde la resurrección, el Kyrios-Xristos (Cristo-Señor) es autoridad universal:* su gobierno no puede ser visible sino por la fe, pero no por eso es menos real ni restringido a la Iglesia. No queda ninguna esfera autónoma exenta de la soberanía del Señor, pero esa soberanía no es diferente de la que Jesús proclamó y vivió: el *kyrios* es el crucificado; no se ha transformado en el rey pagano cuya soberanía está por encima de la justicia, de la paz, de la misericordia, de la fidelidad, del *shalom.* Su soberanía sigue siendo un gobierno que es contestado, resistido, que necesariamente se afirma polémicamente frente a las otras concepciones del poder hasta el día final.

—La Iglesia del Nuevo Testamento no se plantea el tema de la autoridad política como tema de su participación activa o protagónica: tal cosa queda fuera de su horizonte real, no es una posibilidad. Más bien, considera que el orden de autoridad política, específicamente el Imperio Romano, pertenece al mundo de lo transitorio, precario, que cumple un rol que Pablo define como «premiar el bien y castigar el mal» (Rom. 13:1ss.), a fin de «que vivamos en paz». La misma visión la hallamos en las epístolas de Pedro y las llamadas epístolas pastorales. La comunidad creyente acepta esa autoridad en cuanto no represente un reclamo incompatible con la soberanía del Señor: en su oración encomienda esa autoridad bajo la providencia y el juicio de Dios. Pero en su propia vida, la comunidad de fe se rige (o debe regirse) con otro criterio de autoridad: el del Mesías/Siervo. El contraste entre estos dos tipos de autoridad es implícito en Pablo y explícito en el Apocalipsis. El modo de autoridad del Imperio es Anticristo; la verdadera autoridad es la del crucificado: la unidad del «león de Judá» y «el Cordero que fue inmolado».

¿Qué significa esto para nosotros?

Este panorama bíblico que hemos intentado señalar, y que es por cierto mucho más amplio y profundo de lo que aquí hemos tratado de esbozar, nos plantea algunos problemas como cristianos evangélicos que confrontamos la vida política a la vez que como ciudadanos responsables de nuestros países y como ciudadanos fieles de la nueva «ciudad de Dios» que esperamos. Pero nos deja fundamentos, criterios y dirección para afrontarlos. Concluimos este capítulo con algunas sencillas consideraciones, como propuestas de reflexión y diálogo.

1. Creo que hay dos respuestas equivocadas:

a) Querer que la Biblia resuelva nuestros problemas: que nos dé un programa político, un Estado, una economía. Así como en la propia Biblia se ven diversos modelos sociales, políticos o económicos, también los nuestros son diversos de aquellos y entre sí. Pretender que la Biblia nos dé respuestas políticas hechas, listas para aplicar literalmente, es casi una negación del Espíritu que nos ha sido prometido para «guiarnos a toda verdad». El apóstol Pablo nos habla de un don de «discernimiento», una nueva manera de pensar y sentir «una nueve mente» (Ro. 12:1-2) una manera nueva de verlo todo —no un programa o una ley. Una «mente nueva» que, guiada por el amor, «abunda en ciencia [conocimiento del propósito de Dios] y percepción [captación de la realidad concreta] para saber elegir lo mejor ('discernir') entre las alternativas que se nos presentan» (Fil. 1:9).

b) Creer que la Biblia pertenece a otro ámbito y nada nos dice, de modo que podemos aceptar cualquier propuesta o inventar cualquier cosa. Es el peligro de separar de tal manera el ámbito de la fe del de la vida diaria que podemos terminar en «movernos como quienes no tienen conocimiento de Dios» (Cf. Tito 1:16) en las cuestiones sociales, políticas, económicas que tenemos que resolver cada día.

Como resultado de esas dos «respuestas equivocadas» surgen actitudes negativas, entre las cuales la más común ha sido, para algunos, pretender desentendernos de cualquier responsabilidad en la vida política de nuestras sociedades, lo cual es un autoengaño, porque las iglesias tienen de hecho un peso social y no pueden negar su responsabilidad. Esta es la problemática que hoy se ha hecho inevitable para los evangélicos latinoamericanos. Lo que a veces se ha llamado «la huelga social» de los evangélicos latinoamericanos ya no es sostenible, ni en una sociedad en que ya «pesan» por su misma presencia y una negativa a participar es ya una participación, ni internamente porque las nuevas generaciones de evangélicos, inevitablemente impulsados por sus propias necesidades y anhelos, reclaman de sus iglesias una orientación y apoyo.

La otra actitud equivocada es la de «adaptarnos» al modo de poder dominante, dejarnos ganar por «el modo de ser de este mundo» o «acomodarse al mundo presente» (Ro. 12:2), sin darnos cuenta de que, al hacerlo, no sólo apoyamos la corrupción y la injusticia de esa «mentalidad», sino que inevitablemente las introducimos en la vida de nuestras propias comunidades evangélicas, las reproducimos en nuestras instituciones y dejamos que gobiernen las relaciones entre unos y otros. No por nada, cuando el apóstol comienza exhortándonos a no acomodarnos a la mentalidad de «este mundo» concluye instruyendo acerca de las maneras en que «la mente nueva» ejerce los oficios corrientes de una comunidad cristiana (Ro. 12:4-8).

¿Es que esas pautas de la tradición profética y del Señor Jesucristo y esa «mente nueva» que el Espíritu nos ofrece y que el Nuevo Testamento encomienda para la comunidad cristiana nos ofrecen orientaciones para discernir las responsabilidades de nuestro pueblo evangélico —personalmente y como iglesias— en la vida política de nuestros países y sociedades? Notemos, por el momento, algunas de estas posibles conclusiones:

2. ¿Hay algunas orientaciones básicas que nos ayuden a discernir?

a) Si hacemos una distinción entre sociedad política (fundamen-talmente el Estado) y sociedad civil (la totalidad de la vida asociativa de una nación), me parece claro que, en una visión evangélica, la primera está al servicio de la segunda y no viceversa.

b) La obligación del Estado es estimular, asegurar, implementar, recuperar, mantener, incrementar, para la sociedad civil, la paz, justicia, solidaridad, veracidad por medio de la ley, la administración y la equidad a los diversos niveles locales, nacionales e internacionales. El Estado no puede abdicar esas funciones, pretendiéndose «neutral» o «incompetente» y dejándolas libradas a un supuesto «libre juego» de las fuerzas sociales o económicas. Tal responsabilidad requiere el ejercicio de una autoridad «reguladora», pero también una toma de iniciativa —en favor del débil— cuando peligra la equidad. Esto no significa que el Estado «absorba» a la sociedad civil, sino que provea el espacio y las condiciones de desarrollo y de protagonismo (participación) de la sociedad civil en sus distintas formas —de asociación, creación y producción social, económica, cultural y religiosa. Al mismo tiempo, debe velar para que tales actividades se desarrollen en un marco de justicia y equidad.

c) La Iglesia constituye un ámbito *autónomo* pero *responsable* de la sociedad civil: como tal, no corresponde una relación tal que la torne dependiente del Estado en su organización y en la definición de su misión. Ejerce su responsabilidad desde su lugar en la sociedad y su relación con el Estado debe ser de colaboración —crítica, constructiva y práctica— en aquellos aspectos en que tenga competencia. A este respecto, sugeriría que la función de la comunidad cristiana es primordialmente *formativa y pastoral* y que, en el campo específicamente político, le compete generar vocaciones políticas y nutrirlas en la dimensión ética, basada en los criterios que venimos mencionando: justicia, equidad, misericordia, libertad y paz.3

3 El tema de la relación de Iglesia y Estado es particularmente complejo e importante en nuestro continente, con su historia de relaciones a la vez de dependencia y de dominación entre la Iglesia Católica Romana y el Estado, por un lado, y la reacción de los movimientos liberales laicistas (inspirados en muchos casos por la filosofía positivista). En un número de casos las nuevas constituciones, tanto europeas como latinoamericanas, surgidas después de la II Guerra Mundial han intentado diversas alternativas. En la reforma de la Constitución de la República Argentina de 1994, la propuesta que hicimos —y que no prosperó— había formulado esa relación en los siguientes términos, en un intento de superar el dilema entre una «iglesia del Estado» y un aislamiento —o hasta una oposición— entre ambos: «El gobierno federal admite todas las religiones, cultos y concepciones del mundo compatibles con esta Constitución y, sin discriminacion alguna y conforme a las leyes, coadyuva a su desarrollo»

3

De la justicia a la ley

Necesitamos justicia

Si el tema del poder es central para entender la dinámica de la política, el de la justicia lo es para su contenido. No intentaremos en esta breve exposición un estudio del tema de la justicia en la Escritura. En realidad, al acercarnos al tema de la autoridad como intentamos hacerlo en el capítulo precedente inevitablemente hemos ido trazando también una concepción de lo que la Escritura considera justicia. En este capítulo nos proponemos partir de allí y pensar un poco en la «concreción» del tema de la justicia: es decir, cómo se relaciona la lucha por una sociedad justa con las ordenaciones concretas que una sociedad define: la ley. Tres breves citas nos introducen muy bien en la dialéctica del tema: la primera es una canción de la escritora argentina María Elena Walsh, donde se destaca la necesidad de justicia que todos —y particularmente los pobres— padecemos; la segunda es de un autor brasileño y nos muestra el deseo humano de apoderarse de la justicia y utilizarla para beneficio propio; y la tercera, de un tratado sobre la justicia de un autor norteamericano, propone una reflexión sobre el papel de la justicia en la sociedad. Los tres nos muestran las urgencias y las contradicciones inherentes a toda reflexión sobre la justicia. Finalmente, un versículo de la Escritura resume admirablemente el tema.

Señora de ojos vendados
que estás en los tribunales;
sin ver a los abogados,
baja de tus pedestales;
¡Quítate la venda, y mira
cuánta mentira...!

Actualiza la balanza
y arremete con la espada,
que sin tus buenos oficios,
no somos nada.
....
Ilumina al juez dormido,
apacigua toda guerra,
y hazte reina para siempre
en nuestra tierra.

Señora de ojos vendados,
con la espada y la balanza,
a los justos humillados
no les robes la esperanza;
dales la razón, y llora,
¡porque ya es hora!

Bailarina inconstante y voluble, la justicia cambia de pareja en el correr del juego de la contradicciones de la historia. Ya la vemos bailar con los poderosos, ya con los débiles, ahora con los grandes señores y luego con los pequeños y humildes. En ese juego dinámico, todos quieren ser su pareja, y cuando ella pasa a otras manos, la llamarán prostituta los que quedaron desairados. La justicia sobrevive a todos los ritmos y a todas sus parejas, porque vuela sobre todos ellos... como si flotase en un lugar donde los choques y los conflictos no existiesen. Pero en ese gran baile social, todos están comprometidos... y la justicia, considerándose eterna y equilibrada, no lo sabe, pero envejece, se vacía, se vuelve objeto de chacota, y aquellos que fueron por mucho tiempo postergados y nunca tuvieron en sus manos esa mujer, comienzan a pensar que lo que desean no es una mujer distante y equilibrada, sino una mujer apasionada y comprometida que dance en el baile social los nuevos ritmos de la esperanza y del compromiso. No quieren más un ser que esté por encima de todos sino que esté inserto en la lucha de quienes se juntan y gritan para que sean escuchados sus ritmos y sus músicas: los ritmos y las músicas de la vida, de la alegría, del pan y de la dignidad.

La justicia es la primera virtud de las instituciones sociales, como la verdad lo es de los sistemas de pensamiento. Una teoría, por muy atractiva y esclarecedora que sea, tiene que ser rechazada o revisada si no es verdadera; de igual modo, no importa que las leyes e instituciones estén ordenadas y sean eficientes: si son injustas han de ser reformadas o abolidas. Cada persona posee una inviolabilidad fundada en la justicia que incluso el bienestar de la sociedad como un todo no puede atropellar... La única cosa que nos permite asentir a una teoría errónea es la falta de una teoría mejor; análogamente una injusticia sólo es tolerable cuando es necesaria para evitar una injusticia aún mayor. Siendo las primeras virtudes de la actividad humana, la verdad y la justicia no pueden estar sujetas a transacciones.

La justicia engrandece la nación,
mas el pecado es afrenta de las naciones;
la justicia eleva a las naciones;
el pecado es la vergüenza de los pueblos
(Pr. 14:34).

Es evidente la centralidad del tema. Pero también la problemática —sabemos que no podemos vivir sin justicia. Pero no sabemos bien qué es y cómo representarla —es «señora» y «prostituta», la sabemos inalcanzable pero la queremos perfecta, la exigimos insobornable y la reclamamos «comprometida».

Pero también necesitamos ley

Ya sea en la tradición bíblica o en la grecorromana de «justicia», en la interpretación católica centrada en la «ley natural» o en la protestante más vinculada a la interpretación bíblica, es inevitable «legislar» la justicia —es decir, hacerla concreta en instrumentos que guíen, organicen, legitimen o corrijan los comportamientos sociales y personales.
Sin embargo, esta relación entre «justicia» y «ley», como todo lo que tiene que ver con leyes, reglas, ordenanzas, es

sumamente delicada y problemática.

1. El primer problema —y tal vez el más profundo— es la relación mutua entre justicia —como concepción, valor o principio— y ley como ordenación jurídica. Paul Lehman lo plantea como una tesis: «La justicia es el fundamento y el criterio de la ley; la ley no es el fundamento ni el criterio de la justicia». En otras palabras: una ley es legítima si es justa; no es justa simplemente porque sea una ley. Las colectividades establecidas —con una organización social, económica, cultural determinada— y sobre todos los gobernantes, tienden a esa subversión: hacen de la ley el fundamento y criterio de lo que es justo, lo que Barth llama críticamente la Richtigkeit (rectitud, carácter normativo y correcto) de las regularidades (Staetigkeiten). Puesto que esas «regularidades» o «constantes» se generan en una determinada formación social, reflejan las relaciones de poder que priman en esas sociedades. Se cumple así la lapidaria sentencia de Hobbes: «La autoridad, no la sabiduría, hace la ley». Esa ley es entonces la que define la justicia y perpetúa las condiciones de la sociedad. Los estatutos establecidos en nuestro continente por los gobiernos militares son una ilustración trágica pero muy significativa de esta subversión de la justicia. Lo que arbitrariamente se les ocurría a los gobernantes en función de sus objetivos se transformaba en «ley» y, por consiguiente, era considerado «justo».

2. ¿Es posible revertir esa «subversión» de la relación entre la justicia y la ley? Una de las respuestas es la «tradición profética» en Israel. Así, hemos visto cómo hacia los siglos 9 y 8 a.C. se da un cambio en la sociedad israelita: de una sociedad pastoril y de pequeños agricultores se pasa a una sociedad agraria; de una organización política tribal y una conducción carismática a una organización monárquica. Las consecuencias sociales son la creación de una nobleza, la acumulación de tierras y la transformación del pequeño propietario en mano de obra. Es en esa situación donde aparece la «protesta profética».

Los profetas no tienen un «plan revolucionario». En realidad, apelan a la tradición: la sociedad pastoril y tribal de pequeños propietarios que cultivan su parcela y cuidan su rebaño. Y transforman esa visión en una «utopía» de igualdad, trato equitativo, paz y libertad —¡shalom! La legitimidad divina de esa «utopía» es el pacto con Dios. La protesta profética alcanza fuerza política durante el reinado de Josías (siglo 7 a.C.), y se produce la «reforma» de Josías y una «nueva ley» —lo que llamamos «la reforma deuteronómica»— la segunda ley que define el propósito de la ley y que es simbólicamente «descubierta» y colocada bajo la autoridad de Moisés. «Para que así no haya en medio de ti pobres» señala la ley (Dt. 15:4).

Un fenómeno semejante se ha producido en nuestro tiempo en la lucha contra el *apartheid* en Sudáfrica. El control blanco (particularmente los *«boers»*) crea una situación de separación y discriminación en la que la gran mayoría de la población queda desprovista de todo derecho y transformada en mano de obra prácticamente esclava o ghettos excluidos. La ley de dominación que rige esa situación es justificada religiosamente como «justicia divina»: se articula una teología del *apartheid* mediante el uso arbitrario y aislado de pasajes bíblicos. Desde ese mundo de la opresión nace la lucha por la justicia, contra el *apartheid* (Stephen Bikko, Nelson Mandela son los nombres que inmediatamente vienen a la memoria). Desde dentro y fuera del país nace la protesta profética. En Sudáfrica misma se forman grupos, tanto blancos como negros, que denuncian esa tergiversación del evangelio y van definiendo una articulación teológica que resume esa protesta teológica.[4] Desde fuera tampoco falta la denuncia: en el mundo ecuménico, el Consejo Mundial de Iglesias crea un programa de lucha contra el apartheid, la Federación Luterana Mundial ubica esa lucha como una cuestión de fe, la Alianza Reformada condena el apartheid como una herejía y otras iglesias y movimientos cristianos

4 Tal vez la más clara y coherente expresión de esa protesta es el documento llamado «Kairos» publicado en Sudáfrica en 1985.

adhieren a esta lucha. Finalmente, la lucha contra el apartheid triunfa. La «nueva ley» que trata de dar forma a la «justicia» aparece y crea sus propios organismos para transformar en un orden institucional lo que fue una protesta profética y una lucha de liberación. Uno no puede menos que pensar en la protesta profética, la reforma de Josías y la ley deuteronómica.

Aquí es necesario hacer dos salvedades: los dos casos que traje (el de los profetas de Israel en el siglo 8 a.C. y el de Sudáfrica) operan sobre la base de una «justicia divina» que se opone a «la ley basada en la autoridad». Es decir, se apela a una autoridad superior, trascendente. Primera salvedad: no siempre ocurre así —en ambos casos el «grueso» del establecimiento religioso funcionó con «la justicia del poder» —la voz profética fue minoritaria. Segunda salvedad: la protesta profética, particularmente en el mundo moderno, no ha sido ni única ni mayoritariamente religiosa —viene de las revoluciones burguesas (Revolución francesa), de las luchas obreras, campesinas, femeninas y de sectores intelectuales y políticos comprometidos con los oprimidos y legalmente desprotegidos.

3. ¿Es posible que la «nueva ley» sea la transcripción perfecta y suficiente de la justicia? Rawls hace una observación que puede parecer —para un religioso— un poco ofensiva:

Ahora bien: la justicia como imparcialidad está estructurada de acuerdo con esta idea de sociedad [una sociedad proyectada para incrementar el bien de sus miembros, y eficazmente regida por una concepción pública de la justicia]. Las personas... tienen que admitir que los principios elegidos son públicos, y en consecuencia deben valorar las concepciones de la justicia a la vista de sus probables efectos como normas generalmente reconocidas... Es de señalar también que, como a estos principios se llega por consentimiento, a la luz de verdaderas creencias generales acerca de los hombres y de su lugar en la sociedad, la concepción de la justicia adoptada es aceptable sobre la base de estos hechos. No hay necesidad de invocar doctrinas teológicas o metafísicas en apoyo de sus principios, ni imaginar otro mundo que compense y corrija las desigualdades que los dos principios permiten en éste. Las concepciones de la justicia deben ser justificadas por las condiciones de nuestra vida, tal como nosotros las conocemos, o no lo serán, en absoluto...

Me parece que el párrafo merece dos comentarios. El primero, crítico, es que, en realidad, históricamente, los momentos decisivos de «reordenación» de la concepción de la justicia han estado acompañados por «demandas proféticas» que, de hecho, apelaban a alguna trascendencia —religiosa, utópica, ideológica o apocalíptica. En ese sentido, Luckmann ha hablado de una «religión invisible» que inevitablemente acompaña a toda la empresa humana, añadiendo dos observaciones muy oportunas: que ese «horizonte de sentido» que «funciona» como religión no es necesariamente trascendente en sentido religioso. Y que, en nuestro mundo moderno, hay una multiplicidad de «horizontes» y una pluralidad de sistemas de sentido.

El segundo comentario viene de una interesante distinción entre formas éticas que se basa en la distinción que el antropólogo Clifford Geertz ha hecho entre «descripción máxima» o «densa» (*thick description*) y «mínima» o «tenue» (*thin*). Las expresiones pueden resultar confusas, pero la idea me parece muy útil. Tiene que ver con cómo una sociedad asume ciertos valores que llega a considerar como expresiones adecuadas de «las relaciones entre las cosas, las personas y su propia realidad humana». Se producen así ciertos «consensos» mínimos sobre la base de los cuales una sociedad puede operar. Pero, a su vez, hay un trasfondo más profundo basado en experiencias históricas particulares y generales, en convicciones religiosas, en compromisos ideológicos que sustentan esos consensos, aunque en nuestra sociedad moderna esos trasfondos pueden diferir y hasta estar en conflicto. La ley traduce esos consensos míni-

mos, pero son los significados «máximos» los que prestan a la ley su fuerza. Cuando la relación se quiebra, cuando no hay una convicción acerca de la justicia (aunque sus presuposiciones filosóficas o religiosas sean diversas), será difícil que las leyes «consensuadas» puedan operar con vigor.
Permítaseme ilustrar el párrafo anterior con una experiencia que hemos hecho en la Argentina, durante el proceso militar, en la creación y funcionamiento de una organización no gubernamental de derechos humanos, la «Asamblea Permanente por los Derechos Humanos». Surgió cuando la violencia de izquierda y de derecha había desatado una lucha que amenazaba la seguridad y la vida de la población. La pregunta que un grupo de personas de diversos sectores de la sociedad —de la cultura, de las fuerzas del trabajo, de varios partidos políticos, de distintas iglesias y religiones— se planteaba era: ¿cómo se responde a esta situación?
Es así que, a fines de 1975, se constituye este movimiento que al comienzo del año siguiente tiene que confrontar la situación creada por el golpe militar y la espantosa persecución que desató. Dos problemas debían ser resueltos para fundamentar y hacer eficaz la tarea que nos proponíamos. Uno era dejar claras las bases sobre las que se proponía trabajar y a las que debería atenerse cualquier acción que se emprendiera. Tenían que ser suficientemente claras y precisas y aceptadas por todos. Era esa ética consensuada de la que hablaba Rawls. La definición de los derechos del habitante y del ciudadano expresados en la propia Constitución del país y los compromisos que la Nación Argentina había asumido al firmar la Declaración Universal de los Derechos Humanos —y que, por lo tanto, todo gobernante, ciudadano o habitante del país debía acatar y cumplir— parecieron los instrumentos sobre los que podíamos basar nuestra acción. La otra pregunta, más profunda, era: ¿cuál es el fundamento último, la convicción más profunda y decisiva que nos hacía abrazar esas leyes? ¿Por qué hay que defender los derechos humanos? Para algunos era una convicción religiosa, para otros una visión humanista, para otros una filosofía o

una ideología. ¿Tendríamos que callar esos diversos «horizontes de sentido» y mirar nuestra lucha sólo como una cuestión pragmática? Difícilmente alguien se juega la vida por una ley si no hay una base más profunda que le dé sentido. La conclusión a la que llegamos es que cada uno sentiría total libertad para expresar sus convicciones más profundas, decirnos mutuamente qué nos movía, a la vez que toda acción concreta era sometida a la prueba de las bases operacionales que habíamos aceptado en común. Sobre esa base se generó una comunidad profunda y disciplinada que subsiste hasta hoy.

¿Hay una tarea para la fe?

¿Hay una tarea para la «fe» —en el caso, la fe cristiana en su forma protestante— dentro de esta dialéctica de moral «máxima» y «mínima», de «justicia» y «ley»? Por supuesto, mi convicción es que sí la hay —y que es posible que distintas visiones religiosas y opciones ideológicas cooperen, desde sus propios y diferentes horizontes, para impulsar la vigencia de «leyes» que respondan a una concepción transformadora de «justicia».

1. Hay una *función de inspiración*: la educación en los valores que respaldan la voluntad de tener y cumplir una ley que exprese la «justicia». Las religiones son espacios de socialización, de internalización de valores y de pautas de vida. Cuando el israelita era convocado por la propia ley a recordar la gesta de su liberación, se le decía «la enseñarás a tus hijos, y a los hijos de tus hijos», cómo fue rescatado ese pueblo y qué obligaciones sociales y éticas fueron comprometidas en ese pacto. Se trataba precisamente de interiorizar «una moralidad máxima» que sostendría el consenso «mínimo» de toda la sociedad.

Creo que es sumamente importante hacer esta distinción. Por ejemplo, en mi país se aprobó en 1955 una ley que señalaba los «contenidos básicos» para la enseñanza ética en el sistema educativo del Estado. El trabajo original hablaba de «el sujeto social», es decir, la persona como miembro de la sociedad. Por presión religiosa, se cambió esa formulación para incluir el concepto teológico de «ley natural». De hablar de la familia como institución social se pasó a la familia como «ley natural» apelando en ambos casos a una instancia trascendente, en suma, a la ley establecida por Dios. Muchos de nosotros no tendríamos mayor objeción a aceptar ese fundamento. Pero es evidente que ha habido una confusión: lo que debió ser una «descripción mínima» —lo que se haría ley y todos deben aceptar— se lo confundió con «descripción máxima», la sustentación religiosa, filosófica o ideológica que le debía servir de base y que debía dejarse en la conversación libre de una pluralidad. La educación pública no se puede basar ni en una «asepsia laicista» donde no se puede hablar de las convicciones más profundas que sustentan nuestra vida, ni en una dominación autoritaria impuesta por una de esas interpretaciones. Hay una enseñanza «común» —las leyes que todos hemos aceptado. Y hay una conversación libre, abierta, donde reflexionamos juntos sobre los fundamentos últimos que fortalecen nuestro compromiso con esas leyes.

2. Hay una *función crítica* en la tradición profética que desafía la «rectitud de las constantes» en función de la demanda de la justicia. Es la función profética que, en nombre de la «moralidad máxima» afirmada, en nuestro caso, en la voluntad y el propósito de Dios, reclama al poder el cumplimiento de la ley que se deriva de la justicia. En nuestra historia reciente, los derechos humanos fueron la «ley» por medio de la cual se defendió el derecho a la vida. Sobre este punto volvemos en nuestro último capítulo.

3. La *defensa y «advocación»* —ser los abogados— de los sectores sociales desprotegidos. «La opción por los pobres» fue una formulación simbólica que expresa un axioma fundamental en la responsabilidad de las comunidades judía y cristiana (no sólo de ellas, pero de ellas estamos hablando ahora). Es simplemente la consecuencia inevadible de «la clase de Dios» que decimos adorar. El teólogo Karl Barth lo

formuló en su Dogmática en estos términos:

Dios está siempre, apasionada e incondicionalmente, de un lado, y sólo de un lado: contra los poderosos y los soberbios, y con los pobres y humillados.

Por supuesto, eso no significa que Dios «no ama» a los ricos y poderosos, como muchas veces —y no ingenuamente— se aduce para criticar «la opción por los pobres». Lo que sí significa es que el amor de Dios por los ricos y poderosos hace que Dios les exija que se vuelvan hacia sus hermanos y hermanas pobres y humillados. ¿Qué otra cosa es la exigencia que nuestro Señor Jesucristo le hace al «joven rico»? Dios quiere salvar a los ricos y poderosos, pero esa salvación pasa por su relación con sus hermanos pobres y humillados. Es difícil decirlo más claramente que nuestro Señor en la parábola del juicio (Mateo 25).

4. Tal vez el punto extremo de estas responsabilidades de la comunidad religiosa es el de *«la desobediencia a la ley»*. Indudablemente, cuando el cristiano o la comunidad cristiana percibe que una ley es contraria a la justicia, tiene la obligación moral de denunciarlo, de procurar, por los medios provistos por el «consenso» social expresado en las instituciones vigentes, abrogarla o cambiarla. Puede haber, sin embargo, casos extremos en que la protesta exige la desobediencia a esa ley. En nuestro tiempo, el caso típico, ya mencionado, es el de la lucha contra el *apartheid,* o el de los derechos civiles de los negros en los Estados Unidos. Pero tenemos también numerosos antecedentes en la historia, desde la respuesta de Pedro al Sanhedrín: «consideren si es justo delante de Dios obedecerles a ustedes antes que a Dios» (Hch. 4.19), pasando por los mártires de los primeros siglos, los anabautistas o cuáqueros de los siglos 16 y 17, y muchos más. Por supuesto, esta decisión no puede ser banalizada o tomada caprichosamente; por eso sería de desear que fuese un «último recurso», cuando se han ejercido las otras opciones, que resultara de una decisión considerada comunitaria-

mente, evaluada en sus consecuencias y acompañada de una propuesta concreta —como se dio tanto en Sudáfrica como en los Estados Unidos. Pero en todo caso, se trata de una opción de conciencia que forma parte del testimonio de la fe y en principio no puede ser desconocida.

4

Derecho a la vida, derechos humanos

En nuestro contexto latinoamericano, mal se puede hablar de política sin referirse a la lucha por los derechos humanos. Las guerras civiles y los conflictos sociales y políticos que han destruido decenas de miles de vidas humanas en América Central, las dictaduras militares en los países del sur del continente con sus torturados, muertos y desaparecidos, el largo calvario del país hermano de Colombia y los millones de víctimas de la pobreza, los desplazamientos forzados de poblaciones en Colombia o Méjico, las migraciones internas o de nación a nación y la miseria y discriminación que producen son sólo algunas de las maneras de nombrar el dolor de nuestros pueblos.

Los derechos humanos definidos en un número de declaraciones, acuerdos y convenios internacionales que la mayoría de nuestros países han suscrito son a la vez testimonio de una conciencia humana universal que se abre paso a través de nuestra historia y el dedo acusador a una organización social, política y económica que se manifiesta incapaz de defender y honrar la vida humana. Por eso quisiera cerrar esta invitación a reflexionar sobre nuestra responsabilidad y participación política como evangélicos en América Latina con un llamado a pensar, bíblica y teológicamente, en la defensa de esa vida que Dios ha regalado al mundo desde la mañana de la creación. Y quisiera hacerlo en tres momentos. En primer lugar, con una reflexión bíblica sobre el «pacto de vida» que Dios ha establecido con su creación, como lo relata el capítulo 9 de Génesis. Luego, tratamos de ampliar esa afirmación esbozando lo que podría ser «una teología de la vida» como el fundamento último —la «ética fuerte»— para nuestra defensa evangélica de los derechos humanos. Y finalmente, haríamos un breve recorrido histórico de la definición de los derechos humanos para tomar conciencia de nuestra participación, y también de nuestra ausencia como cristianos en esta búsqueda.

El pacto de la vida (Gn. 9:1-17)

¿En qué mundo nos ubica este pasaje? El mundo original, el de la creación —el Edén, el jardín del rey, el palacio de la bienaventuranza, ha quedado atrás. Allá quedaron los coros ordenados de la armonía de los astros, de la tierra, de la flora, de la fauna, que cantaban sin disonancias ni arritmias. Allá gobernaba la paz, se multiplicaba y se expandía la vida, sin destrucción ni violencia. Allá el ser humano reflejaba la gloria de Dios, daba nombre a las cosas y a los seres y se recreaba en ellos. Allá la vida humana se extendía sin conflicto.

Pero ahora estamos en otro mundo, el mundo de la violencia y de la corrupción. El hombre mata y el animal ataca. La noche se puebla del rugido amenazante de la bestia que busca su presa. La sangre derramada clama venganza sin límite. «Por una herida maté a un hombre —canta Lamec— y por un machucón maté a un muchacho» (Gn. 4.23). La muerte acecha en cada vuelta del camino: es venganza, violación, robo. Entre ambos escenarios se ubica el inexplicable misterio del mal, del pecado, de esa ruptura sin sentido que ha desquiciado todas las cosas y que sólo puede designarse con una palabra intraducible, *hamash*: desafuero, desenfreno, opresión arbitraria, la irrupción del caos que quiebra toda ley, todo orden, toda integridad *(shalom)*.

¿Cómo va a responder Dios a este nuevo escenario? El autor bíblico no está contando una anécdota. La pregunta es: en este mundo de corrupción y violencia, ¿qué es el ser humano —Adam? ¿Ha caducado el orden de la creación? ¿Tiene el hombre aún una tarea, un derecho, una responsabilidad? ¿O es la violencia y el caos la realidad última e inapelable? ¿Qué dice Dios de este mundo? ¿Es la última pala-

bra de Dios la que nos relata Génesis 6.6: «Se arrepintió Jehová de haber hecho hombre en la tierra, y le dolió en su corazón»?

9.1. *Dios habla. La fórmula es solemne: «Bendijo Dios» es el decreto divino sobre este mundo caído, sobre nuestro mundo. Y Dios retoma la palabra de la creación:* «Fructificad y multiplicaos, y llenad la tierra». ¿Tiene todavía la criatura caída el derecho de expandir la vida, de propagarse, de «llenar la tierra»? ¿O Dios simplemente la dejará vegetando, librada a sí misma, y se dedicará a otra cosa? ¿o solamente a algunos —los buenos—, o a otra vida?

No, Dios aún quiere la vida de Adam —una vida que se propague, que crezca, que se extienda. La «bendición» no es a medias: Dios está aún a favor de ese ser humano, aunque frecuentemente «su corazón se inclina al mal» (8.21). Y Dios quiere positivamente que viva, que se multiplique sobre esta tierra, en este mundo.

9.2-3. ¿Pero no le habrá retirado sus derechos y su tarea en la creación? ¿Será ahora el ser humano un paria en el mundo, un intruso sin derechos, librado a las fuerzas «naturales», sin otro derecho que el que pueda procurarse? *Nuevamente, ¡no!*. La armonía está quebrada, la creación ya no puede mirar al hombre con confianza, como a un amigo. Pero, increíblemente, Dios no sólo confirma sino que extiende el mandato dado al hombre, su derecho a la soberanía sobre el mundo.

¿Por qué? Porque se ha propuesto una creación con historia, *donde una criatura realice, trabaje, haga avanzar la creación. El ser humano ha introducido violencia, conflicto, en lugar de un camino de paz y de orden, un mundo tortuoso sembrado de destrucción. Pero Dios no abandona su plan: las criaturas pagarán un doloroso precio, y Dios sufrirá con ellas («toda la creación suspira en cautiverio...y el Espíritu lucha junto a ella» dirá el apóstol Pablo).* Pero hay que avanzar, aun en ese tortuoso camino. Y llegará un día nuevo en que «el lobo morará con el cordero... el becerro y el león y la bestia doméstica andarán juntos, y un niño los pastoreará» (Is. 11.6-9; 65.25). Entretanto, en este tiempo de conflicto y búsqueda, Dios confirma la soberanía humana.

9.4-6. Esa soberanía, sin embargo, tiene un límite y una meta: la defensa de la vida, «pero carne con su vida, que es la sangre, no comerás». Aquí se centra y se define una nueva relación con Dios y con el mundo. En el hebreo bíblico, alma *(nephesh)* y sangre *(dam)* se emplean casi como sinónimos (Lv. 17.10ss; Dt. 12.23). Se trata del dinamismo de la vida, de la fuerza que mueve y anima a los seres, de esa realidad misteriosa que se extiende, se proyecta, se abre curso y se desarrolla sobre la faz del planeta desde la mañana del quinto día de la creación. Hacia ella miraba y se dirigía toda la creación anterior: la vida es la meta del amor creador. El hombre ha percibido siempre que la sangre era el sacramento de esa realidad vital: «la sangre es una sabia muy peculiar», dice el Mefistófeles de Goethe. A la entrada de ese ámbito misterioso, Dios ha plantado una advertencia: «Entras a propiedad ajena». Esto no te pertenece. La vida es exclusiva propiedad de Dios. Y el Creador se constituye en defensor, garante y vengador de la vida.

Dos advertencias sellan esta protección: «No comeréis la carne con su sangre, a saber, con su vida» (v. 4). No se trata de discutir una ley alimenticia, o de buscar los rastros mitológico-cultuales que le sirven de trasfondo. La ordenanza tiene para el autor bíblico un significado teológico muy claro: el ser humano ha recibido la autorización asombrosa y aterradora de matar para comer. Dios le ha dado un poder inigualable. Pero no un poder absoluto. La vida sigue siendo de Dios. Toda la vida. Ese detenerse reverente frente a la sangre, el dejarla verter a la tierra, retornar a Dios la fuerza de la vida que él ha dado, es el reconocimiento de una responsabilidad que hoy nos haría bien recordar. En la sangre que se vierte, en la naturaleza que es destruida, en el agua emponzoñada, en el aire polucionado, en las selvas taladas, el creyente escuchará con dolor y respeto «el suspiro doloroso de la creación» aún en cadenas.

Pero aquí hay un salto cualitativo: «de mano del hombre demandaré la vida del hombre». Dentro del reino de la vida queda establecida una distinción irreversible. En Adam —el ser humano— la vida ha sido marcada con un sello único: la imagen de Dios. Se trata de Adam, de la humanidad total y única —más acá o más allá de toda distinción, antes de hablar de naciones, de creyentes o paganos o ateos, de mujer o de hombre, de etnias o razas, de buenos o malos. Dondequiera se haga presente la forma humana, allí está la imagen de Dios. Y allí Dios se constituye en pariente, en padre, madre, hermano, marido o mujer de todo Adam —en el responsable por toda vida humana, en el go'el, el vengador, redentor, protector de todo portador de aquella imagen.

A tal punto es total y absoluta esta protección, que Dios reclama de cada uno cuenta de su propia vida: suicidio y homicidio caen bajo la misma sentencia. Dios pide cuenta de ellos, pues con toda sangre humana vertida se vulnera la imagen de Dios. El monstruoso crimen del Gólgota comienza en manos de Caín y se prolonga en todo homicidio a lo largo de la historia.

9.6. Nos queda aún una nueva sorpresa: «El que derramare sangre... de mano del varón su hermano la reclamaré» , «El que derramare sangre de hombre, por el hombre su sangre será derramada». No nos detengamos a discutir la «pena de muerte». Eso era parte de la historia y de la cultura en la que todo esto es escrito. Lo importante es que aquí Dios delega en el ser humano su propio compromiso de go'el, de vengador, de defensor, de protector de la vida humana: es el ser humano que nosotros somos —con nuestras fallas morales, nuestros errores, capaces de odio e injusticia— quien, sin embargo, es responsable de restaurar el derecho, de establecer justicia, de defender la vida. Y, cuando es necesario, de ejercer para ello la fuerza.

Los teólogos han argumentado de diversas maneras acerca de si estos versículos constituyen una temprana «teología del Estado» como orden del mundo caído, o una función nueva de un orden de la creación, en vista del mundo de violencia creado por el pecado. Parece claro que Pablo interpreta en Romanos 13 el «derecho del gobernante» en función de la justicia como un mandato divino hecho necesario por el pecado. En este punto, sin embargo, lo que importa destacar es que Dios encomienda al hombre, con la tarea de la expansión de la vida, la de protección de la vida.

¿De qué vida nos habla la Escritura?

Defender la vida. ¿Pero qué es la vida? Las respuestas no son obvias ni insignificantes. Según entendamos la vida, entenderemos nuestra responsabilidad y nuestra tarea. Y las interpretaciones confusas, reductivas o parciales que muchas veces los cristianos hemos adoptado, han tenido graves consecuencias en nuestra doctrina y en nuestra práctica.
Hablar de una «teología de la vida» no puede reducirse a utilizar un slogan. De ninguna manera puede confundirse una teología cristiana de la vida con todo tipo de filosofías y teologías «vitalistas» que han aparecido en diferentes épocas. «Vida», por otra parte, es una noción polisémica que puede ser comprendida y utilizada con diferentes niveles de significado y con diferentes propósitos. La articulación de una teología cristiana —evangélica— de la vida es una tarea aún incompleta y que, en todo caso, no podemos emprender ahora en profundidad. Pero quisiera, al menos, llamar la atención a temas bíblicos que nos ayuden a ir articulando un «discurso de la fe» en defensa de la vida.
1. La vida es siempre un don de Dios. Naturalmente, esto está implícito en la afirmación de la creación. La mayor parte de las religiones suscriben a esta creencia. Y esto es importante porque abre una relación fecunda con la comprensión de nuestras culturas autóctonas. Al mismo tiempo, es interesante advertir que la Biblia, a diferencia de otras historias religiosas, no ofrece gran especulación acerca de cómo fue creada la vida, pero sí muestra una permanente afirmación de que *toda la vida proviene de Dios.*
Decir que la vida es un don de Dios no significa meramen-

te que «se origina» en Dios sino que Dios es una permanente fuente y creador de vida; más aún, que es re-creador y restaurador de la vida. Cuando la vida es amenazada, herida o destruida, Dios está siempre pronto a intervenir activamente en favor de la vida. La creación, por lo tanto, lleva a la redención, a la restauración de la vida. Es esto lo que tan bellamente afirma el «pacto de vida» que hemos visto en las páginas precedentes.

2. *La «vida» abarca la totalidad de la creación: humana, animal, vegetal, e implícitamente toda la creación como presuposición y sostén de la vida.* Es cierto que los relatos de la creación y el vocabulario bíblico en general distinguen entre la vida humana, la animal y la vegetal. Pero las distinciones no son absolutas y en todo caso no establecen una separación. No hallamos en el pensamiento hebreo la noción griega de un «cosmos» habitado por una razón universal. Más bien es el cuidado y la atención divina lo que reúne e integra todas las cosas. A la humanidad se le encomienda una tarea particular que, si bien le otorga autoridad, le demanda también respeto y cuidado por todos los seres vivientes. De hecho, si bien la creación depende del cuidado humano y está bajo su administración, también al ser humano se le impone una dependencia de las demás criaturas y se le fijan límites que no debe transgredir.

En este sentido, una lógica teológica de la vida no puede en manera alguna descuidar, subordinar o pasar por alto la estructura material que sostiene toda la vida, y particularmente la vida humana. Como lo indican las instrucciones sobre el uso de la tierra, el respeto a la «tierra» que debe «descansar», que no debe ser «abusada», y el respeto por el «pobre», cuya vida debe ser defendida, vienen de la mano. Las leyes del jubileo, que representan esta unidad, proveen un «patrón» para comprender la relación entre ecología y economía, que resulta significativa para analizar los problemas que hoy enfrentamos en nuestro mundo globalizado —y particularmente en los países que llamamos «Tercer Mundo».

3. La vida humana no debe ser comprendida como simple subsistencia sino como una «plenitud» en la que se integran todas las dimensiones. En este sentido, la «vida» no es vista como una ecuación fija, sino como un permanente proceso —mas aún, una tensión— en la que la vida es amenazada por la muerte: la pobreza, la enfermedad, los accidentes, la separación, el exilio, la orfandad y la viudez... pero también la tristeza, el temor y la incertidumbre. La «bendición» de Dios es una vida de salud, familia, prosperidad, fiesta, gozo y longevidad. En la frontera entre la antigua y la nueva Escritura, aparece la esperanza de la resurrección, la «plenitud» más allá de la muerte.
Esta concepción de la vida prohibe toda separación entre una vida «inferior», material y una «superior», espiritual. En nuestra situación latinoamericana esta unidad debe significar fundamentalmente un obstinado rechazo de las tendencias espiritualizantes y un recuerdo permanente de que las necesidades primarias de la vida humana conciernen a Dios tanto como las religiosas. En palabras de Jon Sobrino:

Con ello queremos rechazar la opinión práctica, si no teórica, de que los niveles primarios de la vida, y el mismo hecho de vivir, serían datos naturales y socio-económicos, dignos de estudio para una antropología, sociología y economía, que indirectamente sirvieran de base quizás para la comprensión y práctica de una ética cristiana regionalizada, pero que en sí misma no serían datos para ser integrados en una teo-logía en sentido estricto. La teo-logía comenzaría a otro nivel, al nivel de la vida «verdadera», de la vida «cristiana», de la vida «eterna».
Esto nos parece un error de bulto y de funestas consecuencias, y que ya fue denunciado en los orígenes mismos de la evangelización en América Latina. A su modo, así lo denunció Bartolomé de las Casas. Con profunda intuición teológica observó en el indio, en primer lugar, su realidad creatural y lo describió como pobre y oprimido antes que como infiel. Y por esa razón sacó la conocida conclusión: vale

más «indio infiel pero vivo» que «indio cristiano pero muerto». Un infiel vivo es sacramento del Dios de vida, mientras que un indio asesinado, aunque cristiano, es sólo sacramento de los ídolos... Esta recuperación de la primariedad de la vida puede parecer mínima, pero es fundamental para comprender la actuación de la Iglesia y la experiencia de Dios tras esa actuación.

4. Esta plenitud de la vida que incluye todas las dimensiones de la vida humana no se ve nunca en la Biblia como una adquisición individual. De hecho, a lo largo de toda la Escritura *la vida nunca es concebida como algo que corresponde a individuos aislados sino a personas incorporadas en una comunidad*, personas que hallan su vida y su plenitud en la salud, el bienestar y la prosperidad de toda la comunidad. Aun pasajes que han sido entendidos —y a veces celebrados— como «individualistas» porque subrayan la responsa-bilidad personal, como los capítulos 33 y 18 de Ezequiel, tienen que ser leídos en el contexto de la vida del pueblo, como Ezequiel 37 lo muestra claramente. Este es un punto muy importante cuando advertimos que el «sistema de muerte» que pretende regirnos destruye a la vez la vida personal en la mistificación e incita una competencia inmisericorde y la búsqueda desmedida del engrandecimiento individual.
5. *La vida es un don de Dios en el contexto de un pacto que compromete al socio humano con la paz y la justicia.* Más arriba hemos señalado la conexión del vocabulario de justicia con los conceptos de paz y misericordia. En su exposición del significado del vocabulario sobre la «vida» en el Antiguo Testamento (hjj, hajah, etc.) Ringgren señala el significativo número de pasajes que hablan de «la vida como consecuencia de la obediencia a los mandamientos». Particularmente en el Deuteronomio, la «vida» y la «posesión de la tierra» están relacionadas condicionalmente a «ser justo». También destaca los pasajes en que «vida» se relaciona con «misericordia» (hesed), paz (shalom) y justicia (tsedaqah).

La vida viene a quienes cultivan la «sabiduría» (hochma). No se trata simplemente de que la vida sea una «recompensa» por la buena conducta sino —y esto es aún más claro en el Nuevo Testamento— que hay una relación intrínseca entre una vida buena y la práctica de la misericordia, el amor y la justicia en las relaciones que constituyen la comunidad. Hay dos cosas particularmente importantes para nosotros a este respecto. Por una parte, el papel que se le da al «rey» (traduzcámoslo en nuestra situación por «el gobierno» o «el Estado») como mediador de la vida y la paz para el pueblo: la justicia del «rey» produce prosperidad y vida en tanto que su falta de justicia resulta en destrucción y muerte. Por otra parte, esa justicia del rey se comprueba por su preocupación por los derechos del pobre y desprotegido, «los pequeños del pueblo». La denuncia de los escritos proféticos —que Jesús asume y radicaliza en su mensaje— suena en este respecto tan relevante en relación con la fría discusión de nuestros economistas sobre «el costo humano» de la prosperidad económica o las declaraciones en las que el «producto bruto nacional» se toma como medida de la salud de toda la nación como lo fue cuando aquellos profetas condenaban la acumulación de «tierra sobre tierra y casa sobre casa» a costa de la miseria del pueblo.

6. En Jesucristo, la promesa y el don de la vida, a la vez que conservan la totalidad de todo el testimonio bíblico, ganan una dimensión universal y eterna. Aun una mirada superficial a la enseñanza y la práctica de Jesús deja muy en claro que la vida —o la vida del Reino— que él predica y ofrece mantiene la misma unidad de persona y comunidad, espiritual y material, presente y eterna que hemos visto a lo largo de este breve itinerario. Las curaciones, el perdón divino, la mutualidad y la reconciliación humana, el servicio y la responsabilidad no aparecen separados, y menos aún en competencia: en su unidad y totalidad son «vida». Jesús la anuncia y la da. El testimonio apostólico proclama que este ministerio, perfeccionado y confirmado en la cruz y en la resurrección, ha inaugurado una nueva edad que hace accesible a todos y para siempre esa «vida abundante».

7. La teología paulina y juanina han sido frecuentemente utilizadas para justificar las dicotomías que en la proclamación del evangelio, particularmente en nuestra América Latina y en este «nuevo orden» inaugurado en los siglos 15 y 16, han hecho del evangelio un aliado de la domesticación, la explotación y la muerte. La vida, adjetivada como «cristiana», «eterna», «verdadera» debía entenderse como individual (en contra de lo social), espiritual (opuesto a lo material) y eterna (en contraposición a la vida presente). Los argumentos vienen vestidos de ortodoxia, fundamentalismo, pietismo, liberalismo o existencialismo, pero al final tienen el mismo efecto alienante.

Hay una amplia investigación bíblica al respecto, no sólo en América Latina y otras regiones del Tercer Mundo sino en los trabajos de los más destacados biblistas de Europa y Norte América. Sólo me limito ahora a sugerir que Pablo y Juan introdujeron en el tema una «novedad» fundamental. O, más bien, Juan y Pablo son testigos de la fundamental novedad introducida por Jesucristo: si debiéramos caracterizar esa novedad en una sola frase, podríamos decir que es *las buenas nuevas de que la vida plena que Dios quiso para sus criaturas desde la fundación del mundo está ahora disponible en este nuevo día inaugurado por la muerte y la resurrección de Jesucristo.*

Para Pablo, esto es posible por la obra del Espíritu Santo que Dios ha «soplado» —si puedo utilizar una expresión juanina— sobre toda la creación, para «hacer nuevas todas las cosas»: un poder que puede verse obrar anticipadamente en la comunidad de fe. Los frutos y los dones de ese Espíritu generan una cualidad de vida cuyo signo visible es la mutua solidaridad de sostén, servicio y testimonio que abarca la totalidad de la vida y supera todas las barreras de cultura, raza, condición social y género. Es cierto que Pablo, por razones históricas y teológicas que no son difíciles de entender, no ve aún las «estructuras históricas» por medio de las cuales las señales, los anticipos de esa vida pueden

ser «organizados» para todos. Pero es claro que para él «la lógica de la nueva vida en Cristo» es incompatible con la lógica de poder, dominación e injusticia del mundo: en términos más concretos para Pablo, la lógica del exclusivismo legalista judío o de la arrogancia imperial.
La «vida» es el tema central de los escritos juaninos. La «vida abundante» es la vida de Jesús a la cual somos incorporados. Creer es aferrarse a esa vida, la vida misma de Dios que ha tomado carne humana en el mundo, a fin de destruir las obras del mundo de tinieblas, mentira y muerte que Juan ve ilustrado concretamente en «los judíos» —no como pueblo o grupo étnico, sino como el sistema de poder constituido por los dirigentes religiosos y civiles. El centro de esta nueva vida en la que somos asumidos es el amor como dinámica que se hace carne en los frutos del Espíritu y en humilde servicio.

Fe cristiana y derechos humanos

Si ahora recordamos el pacto de vida de Génesis 9, el llamado a la responsabilidad por la vida —y ahora en particular por la vida humana— toma como uno de sus núcleos centrales el tema de los derechos humanos. Dios ama la vida, ha hecho alianza perpetua con ella. Él será, para siempre, no el Dios amenazador sino el Dios misericordioso de la vida. Su alianza no tiene precondiciones —incondicional, absoluta, totalmente, Dios es el Dios de la vida, de toda vida y sobre todo, de todo Adam. Y por ello, su alianza encomienda al ser humano esta misión: la prolongación, el enriquecimiento y la protección de la vida. Con ello, Dios confía a su criatura el tesoro más precioso de la creación. Un tesoro tan precioso que ni la justa e infalible ira divina por el pecado será causa suficiente para anular su alianza. Y cuando llegue la hora decisiva, Dios hecho hombre protegerá con su propia vida la de la raza humana. Y cargará él mismo el castigo justo de la violencia del mundo caído, para que los hombres vivan. *El nuevo pacto en su sangre sella* y confirma eternamente aquella palabra anunciada en la aurora que sigue al diluvio: «Yo establezco una alianza con vosotros, y no volverá nunca más a ser aniquilada toda carne».

Esa responsabilidad no conoce excepciones ni condicionamientos: se trata de *toda vida, y particularmente de toda vida humana.* No podemos elegir por preferencias o selecciones ideológicas, religiosas o de cualquier otro orden el ámbito de la responsabilidad. Donde aparezca una forma humana, hay un derecho inapelable a la vida y por lo tanto un deber indeclinable de defenderla y protegerla. La cuestión acerca de los derechos humanos no es, para nosotros, una mera ley humana, por importante que sea: lo que está en juego es nuestra obediencia al Dios del pacto, más aún la invitación y el llamado a ser «colaboradores con Dios» en la promoción de la vida.

No puede tratarse, además, de una visión mínima de la vida, de una admisión que, en todo caso, basta mantener, de alguna manera, una sobrevivencia. Lo que Dios nos encarga es «plenitud de vida» —fecundidad, crecimiento, vigor, amplitud. Nuestra responsabilidad es la defensa de la plenitud de la vida humana —su acceso a la riqueza del mundo, a la posibilidad del crecimiento y la expansión, al ejercicio de su derecho sobre los seres y las cosas, a la dignidad de su imagen divina. Este Adam pleno es el objeto y la meta de nuestra misión.

Y se trata de una responsabilidad histórica que debe ejercerse con medios históricos —«por mano del hombre», aun en este mundo de conflictos y de violencia. No es una tarea que podamos devolverle a Dios. El se ha constituido en el go'el del hombre por mediación del hombre. Y aquí entran en función todos los mecanismos, construcciones, instituciones, leyes, estructuras que nos es dado crear, modificar, funcionalizar a los seres humanos para determinar las condiciones de vida sobre la tierra. Este es el campo de ejercicio del pacto. Dios es Señor, protector, dador y garante de la vida. Por ende, en alianza con él y en respuesta a él, nosotros somos responsables de la defensa y plenitud de toda vida humana, por todos los medios legítimos que la historia y el saber humanos nos ofrecen.

Tenemos una clara base bíblica en la defensa de la vida y los derechos humanos. Sin embargo, sería equívoco pensar que esa «base» nos acredita automáticamente a los creyentes como «campeones» de los derechos humanos. De argumentar que hay una plataforma doctrinal legítima, desde la cual, incluso, se puede avanzar en una «filosofía de los derechos humanos» no se sigue como «corolario necesario» que los derechos humanos, tal como se han definido históricamente, son «derivados» de la fe cristiana, y menos aún que se deben al pensamiento y la práctica de los cristianos.

En realidad, lo que hoy llamamos derechos humanos —por ejemplo como fueron definidos hace 50 años por la ONU— es el resultado de un largo proceso, desarrollado principalmente en Occidente, en el curso del cual han operado diversas fuerzas —económicas, políticas, culturales, ideológicas— entre las cuales las iglesias han cumplido un papel no siempre positivo. La comprensión que hoy tenemos como cristianos es resultado de ese proceso y no algo que se ha desarrollado autónoma o aisladamente. Por otra parte, la «práctica» cristiana nunca es una simple aplicación de una doctrina, sino el resultado de unas interpretaciones en las que juegan todos los factores culturales y sociales, políticos y económicos en los que las iglesias y los cristianos viven, a la vez que esa doctrina y esa práctica influyen sobre los demás factores. Por eso, para completar la visión del tema, propongo ahora un breve recorrido histórico, preguntándonos cómo se ha relacionado históricamente la fe cristiana con el desarrollo de la conciencia de los derechos humanos.

1. La libertad para creer. La primera forma en que los cristianos confrontaron en forma práctica y existencial el problema de los derechos humanos fue en el tema de la libertad religiosa. El Imperio Romano conocía una especie de «tolerancia religiosa» en tanto no entrara en conflicto con «la religión del Estado». Pero cuando se hizo claro que los cristianos no podían ser simplemente incluidos —religiosa o étnicamente— en los derechos garantizados al pueblo judío, el problema de la «legalidad» de la fe cristiana no podía ser evitado. Dos afirmaciones cristianas lo hacían particularmente difícil: (1) la pretensión de universalidad —los cristianos no aceptaban limitaciones étnicas, geográficas o de cualquier otro orden a la extensión de su misión; (2) la pretensión de exclusividad, en el sentido de no admitir otra «lealtad» o «devoción» suprema al nivel de su obediencia al «Señor». El conflicto fue, así, inevitable.

En el proceso de defender su «derecho» la Iglesia cristiana primitiva recurrió a dos argumentos básicos. El primero tiene que ver con *el carácter intrinsecamente «libre» de la fe religiosa:* «Cuídense de no caer bajo sospecha de 'irreligión' *(irreligionitatis) al impedir la libertad de religión (libertatem religionis) y prohibir la libre elección de una deidad»* advierte Tertuliano a los gobernantes. Y Lactancio añade: «No es verdadero culto (sacrificio) el que es forzado a una persona contra su voluntad». Aunque el argumento se formula en defensa de la religión cristiana, el principio tiene validez universal y dejó una marca indeleble en la historia de la libertad y, aun contradiciéndola en la práctica, la Iglesia no pudo borrarla de su doctrina. El otro argumento era una consecuencia del primero: si la preferencia religiosa es exclusivamente un derecho de la conciencia humana, el Estado no puede tener competencia en la materia. La declaración de Pedro y Juan (Hch. 4.19) es una primera y tersa afirmación de ese principio: «Juzguen si es recto en los ojos de Dios obedecerles a ustedes más bien que a Dios». No era una rebelión contra la autoridad civil. Por el contrario, incluso en las condiciones más severas, los líderes cristianos exhortaron a obedecer a las autoridades. Pero era una clara definición de la esfera de competencia del poder político: se afirmaba vigorosamente la autonomía de la esfera religiosa frente a las demandas de las «teologías políticas» dominantes.

Sabemos bien que las actitudes de los cristianos con respecto a la libertad religiosa iban a cambiar sustancialmente en el curso del tiempo, cuando la fe cristiana vino a ser «la religión del imperio» —«permitida» primero, «oficializada» luego y finalmente «exclusiva». Se justificó la compulsión religiosa y el poder del Estado fue colocado al servicio de una nueva teología política. El proceso se ve claramente reflejado en los cambios que se observan desde La ciudad de Dios y los escritos sobre los herejes, de Agustín de Hipona (siglo 5) hasta el *«cujus regio, ejus religio»* de la paz de Ausburgo (siglo 16). Y sin embargo, el principio anterior sigue siendo atestiguado por las enredadas argumentaciones con las que los teólogos tratan de armonizar la «religión política» con «el carácter eminentemente libre del acto de fe»: la fe —dicen los teólogos— no puede ser impuesta; aun si una persona confiesa la verdadera fe contra su conciencia, su acto sería pecado. ¿Cómo se reconcilia esto con el reclamo de esa misma iglesia al poder civil para que prohíba toda práctica religiosa que no sea cristiana? La única solución que la teología medieval encontró es el concepto de «tolerancia», tal como Tomás de Aquino lo define.

En otros términos, a pesar de las ambigüedades y contradicciones debemos registrar estas dos contribuciones básicas a la historia de la libertad: la libertad del acto de fe y la limitación de la competencia del Estado en temas religiosos.

2. Pasando por ahora de largo los momentos sin duda importantes de los siglos 16 y 17, nos movemos a un segundo momento crucial: los *«derechos del ciudadano»*. Entre los siglos 16 y 19, la iniciativa en la lucha por la libertad cambió de manos. Una gran transformación en el tejido social europeo encuentra una expresión dramática en Francia hacia fines del siglo 18. Sectores bajos de la economía, mayormente emancipados de las formas más crudas de feudalismo, muy crecidos en número por una especie de «explosión de población», comenzaban a presionar por mejores condiciones y los nuevos sectores «medios», la burguesía —consciente de su creciente importancia— tomó el liderazgo del «pueblo», reclamando para «el tercer estado» un poder proporcional a su importancia en relación con los poderes tra-

dicionales: la nobleza y la Iglesia. Como sabemos, el resultado fue «la Revolución Francesa» y su declaración *Déclaration des droits de l'homme et du citoyen* (27 de agosto de 1789). Aunque trece años antes, una nueva nación, los Estados Unidos de Norte América, dirigida por el mismo grupo social, se había constituido sobre una plataforma análoga.
Aquí nuevamente es interesante mirar el componente «religioso» de este avance en los derechos humanos. Ambas declaraciones intentan incorporar lo que se consideraba una verdad eterna y universal: los estados o los cuerpos políticos no crean u «otorgan» esos derechos: sólo puede «reconocerlos» y «proclamarlos». De hecho, su propia justificación como estados depende de ese reconocimiento. ¿Cuál es la fuente de esos derechos? En la Declaración de Independencia de los Estados Unidos el origen divino es explícito: son dados por el Creador. En la Declaración francesa, la «naturaleza» sustituye al Creador. Pero el trasfondo religioso se hace explícito cuando se dice que esos derechos son «sagrados».
La Declaración de los derechos del hombre apareció originalmente en París en un panfleto que llevaba, sobre su título, la imagen de un «ojo» dentro de un «triángulo». El simbolismo del ojo divino dentro del triángulo trinitario es evidente —aunque se dé en una versión deísta-masónica. Al pie de la página, sin embargo, la explicación es otra: «el ojo supremo de la razón [como un sol] que se eleva para despejar las nubes que lo ocultaban». Cuando comparamos los dos documentos, una cosa se hace clara: tenemos la mutua interpenetración de dos interpretaciones ideológicas, que a veces corrieron paralelas, a veces juntas, desde el segundo siglo: un humanismo idealista de origen griego y la tradición profética hebreo-cristiana. La creación y la naturaleza, una humanidad hermana por la razón y un Padre común; la dignidad de un ser racional y el objeto del amor divino en la creación y la redención —estas dos tradiciones influyeron para generar una nueva conciencia, una nueva autocomprensión del ser humano. El motivo cristiano predomina (tal

vez) en el documento norteamericano y el humanista en el francés, pero ambos son hijos legítimos de este matrimonio. La «igualdad» y la «universalidad» son las marcas distintivas de esas proclamaciones, declaradas «sagradas e inviolables». Pero «igualdad» y «universalidad» tienen graves limitaciones. La Declaración francesa, por ejemplo, da un lugar prominente a los «derechos de propiedad», que declara «sagrados e inviolables» (Art. 17), pero, a la hora de determinar quién detenta esos derechos, el criterio decisivo es muy claro: de una población de unos 27 millones, sólo 4.300.000 califican —¡los propietarios! En la declaración de los Estados Unidos era claro que los indígenas y luego los negros no entraban en la categoría de esos «hombres» (para no mencionar a las mujeres) que habían sido «creados iguales». Es claro que la proclamación de los derechos humanos fue, hacia fines del siglo 18, el desarrollo de las preocupaciones y aspiraciones de un grupo social, de un sector de la sociedad.

Los derechos humanos se definen en esa época desde la perspectiva del individualismo que caracteriza al pensamiento moderno. Hay, sin duda, una primacía de la dimensión económica de ese individualismo. «Todo hombre es libre de emplear sus brazos, su habilidad y su capital tal como lo crea conveniente y útil para sí mismo: puede producir lo que le plazca» afirma la Declaración francesa. Pero no queda limitado a esa área. El individuo es concebido también como un «ciudadano»: no se le puede imponer un orden social desde fuera o aparte de su voluntad: debe ser «contratado» o «pactado» por la libre voluntad de los individuos. Hegel lo resume muy bien:

Contra la fe en la autoridad, se establece la soberanía del sujeto por sí mismo y las leyes de la naturaleza se ven sólo como un vínculo de conexión con los fenómenos externos... El pensamiento se dirige también al ámbito espiritual: el derecho y la moralidad se fundan sobre la base del ser humano, en tanto que antes se los consideraba mandamientos de Dios, dado desde fuera... Estas consideraciones generales, fundadas en la conciencia social actual, las leyes de la naturaleza y el contenido de la cual es justo y bueno, ha sido llamado Razón.

Decía que estas libertades modernas son «hijas legítimas» del matrimonio de la fe cristiana y el humanismo helénico clásico. Pero a las iglesias no les resultó fácil reconocerlas como tales. Esto es fácilmente comprensible en vista de la actitud antirreligiosa que a menudo acompañó a estos movimientos. Al ubicar a la religión exclusivamente en la libre conciencia individual y rechazar toda revelación y autoridad externa, la modernidad parecía rechazar radicalmente todo dogma y autoridad eclesiástica. Y sin embargo, hay una cierta continuidad entre el reclamo cristiano de la libertad del acto de fe y el moderno de la libertad de conciencia. Y por razones que son históricamente claras, esta relación se hizo más claramente visible en el protestantismo. Nuevamente, Hegel lo expresó a su manera:

Este es el contenido esencial de la Reforma: el ser humano se auto-determina a sí mismo para la libertad... Lutero se deshizo de la autoridad [de la Iglesia] y colocó en su lugar a la Biblia y el testimonio del espíritu humano. El hecho que la Biblia vino a ser el fundamento de la Iglesia cristiana es de la mayor importancia: cada individuo debe ahora aclararse a sí mismo [iluminarse] mediante ella, cada individuo puede ahora guiar su conciencia por medio de ella. Este es, en principio, el cambio esencial.

Esta interpretación del protestantismo es discutible. Pero no se puede negar que, objetivamente, la Reforma participó en el proceso histórico que dio a luz a la sociedad moderna con sus libertades características. *Para nosotros, en América Latina, esto fue decisivo: la lucha por la libertad (religiosa) y por consiguiente el apoyo a las fuerzas que luchaban por las libertades modernas fue característico, como lo decía-*

mos antes, de los evangélicos latinoamericanos desde su llegada a América Latina.

Por otra parte, por razones que también son históricamente claras, el catolicismo romano halló mucho más difícil (y aún hoy todavía tiene problemas) reconciliarse con las libertades modernas. Su obstinada oposición durante todo el siglo 19 a «la modernidad» es, en parte, una reacción legítima contra una filosofía humanista puramente inmanentista y, en parte, el temor de que la gente se alejaría de la verdad de la religión y pondría así en peligro tanto su paz terrenal como la salvación eterna. La nueva sociedad liberal, sin embargo, estaba aquí para quedarse y la Iglesia Católica llegó, lentamente, a hallar primero acuerdos prácticos de convivencia con ella (Pío XI y XII) y luego a apreciar algunos de sus valores (Vaticano II) y articular desde su perspectiva los derechos humanos.

Cuando reconocemos este «origen común» de las libertades modernas podemos explorar el elemento cristiano presente en ellas —aunque es imposible aislarlo de otros aspectos de su dinámica (por ejemplo, el económico). Es este elemento común el que da a los cristianos una base firme para colocarse del lado de los derechos humanos en las situaciones críticas que hemos confrontado y seguimos confrontando en nuestra América Latina y otros lugares del mundo. Por eso, la búsqueda de una base teológica se ha movido en la dirección de asegurar una base firme para la universalidad de la dignidad y el derecho humano. Como lo hemos visto, las doctrinas de la creación y la redención han sido la base firme de este pensamiento teológico. El ser humano, como creación e imagen de Dios tiene dignidad como administrador y defensor designado por Dios; la unidad de la raza humana constituye una base firme para afirmar el derecho de todos (lucha contra el apartheid, racismo, machismo, etc.). Por otra parte, la Encarnación, el amor universal de Dios confirmado y hecho eficaz en la muerte y resurrección del Señor afirma una dignidad humana que —en Cristo— ha sido exaltada a la diestra de Dios, indicando un compromiso

definitivo y sin reticencias de Dios mismo con la humanidad, que subraya el valor de todo ser humano.
3. Hay, sin embargo, un tercer momento en la lucha por los derechos que debemos registrar históricamente —llamémoslo la libertad de «los pobres». Al final de la II Guerra Mundial, cuando se proclamó la Declaración Universal de los Derechos Humanos (ONU), se añadió un capítulo final a las declaraciones clásicas del siglo 18: «los derechos sociales». Era el reconocimiento tímido e inicial de una realidad social y política que había ido creciendo en la historia del último siglo y medio: las crecientes masas excluidas de la definición clásica del «ciudadano» elaboradas por el mundo burgués: el proletariado industrial de «los países centrales» en el hemisferio norte, las masas hambrientas, explotadas, culturalmente violadas y reprimidas del llamado «Tercer Mundo» y los sectores discriminados de la población mundial —mujeres, niños, ancianos, razas, minusválidos.
La voz de aquellos a quienes Gustavo Gutiérrez ha llamado «los ausentes de la historia» se hizo oír en las luchas de los obreros por mejores condiciones de trabajo, el salario justo, el derecho al trabajo y a la participación en la creación de una sociedad más justa en la que ellos fueran sujetos de su propia historia. Para los pueblos del Tercer Mundo eso significaba no sólo un cambio dentro de su sociedad, sino los derechos de las naciones desprivilegiadas en el comercio internacional, la transformación de la «división del trabajo» entre las distintas naciones —un «nuevo orden económico». Así, los derechos «sociales, económicos, políticos y culturales» del art. 22 de la Declaración (luego articulados en diversos tratados, acuerdos, declaraciones, convenios) debían ser acompañados por «los derechos universales de los pueblos»: Preámbulo de la Declaración de la Conferencia de Argelia de 1970, «El respeto por los derechos humanos implica el respeto por los derechos de los pueblos».
La relación de los cristianos y de las iglesias a esta nueva fase de la búsqueda humana de libertad también ha sido diver-

sa y no exenta de ambigüedades. Dado que los reclamos por estos derechos se dirigen contra los privilegios y la dominación de clases sociales y países en los que los cristianos han estado conspícuamente presentes, no es sorprendente que haya habido en muchos sectores cristianos resistencias a su reconocimiento. La lucha por los derechos de los pobres se llevó a cabo, en muchos casos, bajo el impulso de ideologías que rechazaban y denunciaban a la religión como medio de dominación social y económica. Por otra parte, muchos cristianos en los sectores oprimidos de la humanidad —y no pocos de sus hermanos en las clases y sociedades ricas— han descubierto en su fe una base e impulso para esa lucha. Así, la conciencia de «los derechos de los pobres» (sentido abarcativo) llevó al redescubrimiento de la tradición profética de la fe judeo-cristiana.

Y así surgió un nuevo factor. La Biblia aparece descubriendo y subrayando otra dimensión de los derechos humanos. Los libros de la ley, por ejemplo, no hablan mucho en general de los derechos de la persona humana, pero sí hablan frecuentemente de los jueces que «en la puerta» «dan su derecho al pobre», del «juicio» reconocido a la viuda, el huérfano y el extranjero (Dt. 10). Los profetas son igualmente explícitos. Cuando Jeremías quiere alzar el ejemplo del buen gobernante, lo señala a Josías y resume: «Juzgó [es decir, estableció el derecho] la causa del pobre y del necesitado; entonces, todo estaba bien» (22:16). Y la literatura de Sabiduría no vacila en identificar «el derecho del pobre» como «derecho de Dios» (Pr. 14.31).

La línea de razonamiento no es difícil de seguir. Todos tienen alguien que los proteja y sostenga su derecho (es interesante que la palabra hebrea para «redentor» signifique también «vengador»): el niño tiene un padre; la mujer, un esposo; los hombres tienen hermanos, una familia, una tribu. Pero «el huérfano», «la viuda», el «extranjero» no tienen quien los defienda o los vengue cuando se los trata injustamente. Dios, sin embargo, tiene interés en su derecho: por eso, su Ley los protege, de modo que ningún ser humano carezca de «protección», de «vindicación». Un buen gobierno, por lo tanto, es particularmente responsable por los derechos de los que no tienen protección ni poder para reivindicar sus derechos. Por eso, Dios mismo hace su «buen gobierno» —su Reino— presente entre nosotros en Jesucristo. Los «derechos del pobre» (mujeres, niños, los despreciados, los enfermos discriminados —ciegos, cojos, leprosos— sobre todos «los pobres de la tierra», marcan su misión. El Jubileo, el gran símbolo de la restauración de todo lo que ha sido dañado, desposeído, privado u oprimido, es el paradigma de su misión (Lc. 4).

El significado universal del ministerio, la muerte y la resurrección de Jesucristo es, de acuerdo a esa interpretación, no restringido a los «pobres» pero sí definido e ilustrado en la prioridad concreta del pobre. Pero hay que reconocer, también aquí, que esta «herencia» de la fe cristiana recién comienzan los cristianos y las iglesias a redescubrirla y a reclamarla en esta nueva fase de la historia, cuando son impulsados a ello por movimientos que no siempre ella ha iniciado ni acompañado.

Si este breve itinerario del desarrollo de los derechos humanos sirve para algo, me parece que es para hacernos dar cuenta de una relación entre la búsqueda humana por la libertad y la justicia y la fe cristiana. Y por eso no podemos hablar de «una doctrina cristiana de los derechos humanos» sino más bien de un desarrollo en el que la experiencia histórica de la humanidad estimula a los cristianos a explorar las fuentes de su fe y redescubrir en ella una riqueza que responde a esa búsqueda humana y que, a su vez, inspira a los creyentes a comprometerse más vigorosamente. Este proceso no es independiente de las condiciones sociales, económicas, culturales de los cristianos y de las iglesias. Por consiguiente, se comprenden las tensiones, ambigüedades y contradicciones en la formulación doctrinal y sobre todo en la práctica de cristianos e iglesias con respecto a los derechos humanos. Pero, por otra parte, me parece que es posible discernir, dentro de este proceso, un ethos, que tiene que ver con la manifestación de Dios en su acción y su enseñanza. Y ese ethos nos mueve en la dirección de una búsqueda por «mejor vida humana», por el cumplimiento, dentro de las condiciones de la historia, de las mejores posibilidades materiales y espirituales disponibles para la persona humana y la sociedad. Y al mirar la historia, vemos como esa conciencia se ha ido abriendo paso en iglesias y creyentes y —no sin dificultades— ha sido y sigue siendo un factor positivo en nuestras sociedades. Y ese campo no puede quedar excluido en una consideración de la participación de los evangélicos en la vida política de nuestras naciones y de nuestro continente.